Protegiendo La Inocencia

"La Detective Diane Obbema es experta en la materia, gracias a su experiencia con los crímenes contra la niñez; sus conocimientos se muestran en cada página. Aunque he leído docenas de libros sobre el tema, *Protegiendo La Inocencia* es el libro más práctico y fácil de leer sobre cómo proteger a nuestros niños".

— **Cecil Murphey**
Autor Best Seller según el *New York Times*
Sobreviviente de abusos en su infancia

"El libro de la detective Diane Obbema, *Protegiendo La Inocencia*, corta audazmente el velo de miedo y vergüenza que rodea al tema del abuso sexual infantil. Este libro ofrece consejos claros y prácticos a los padres sobre cómo pueden proteger a sus hijos de los abusadores, y qué deben hacer en caso de que se sepa que hay abuso sexual. *Protegiendo La Inocencia* es una lectura obligada para cualquier persona que esté en la posición de proteger a los niños o que sea influyente. De todo corazón, les recomiendo este libro a mis pacientes".

— **Dra. Robin Eskey, PsyD**
Certificada en Psicología Clínica
Denver, Colorado

"La detective Obbema ha dedicado la mayor parte de su carrera profesional a investigar delitos contra las personas más vulnerables e inocentes de nuestra sociedad. Su libro, Protegiendo La Inocencia, contiene ejemplos de la vida real y experiencias de las cuales los padres y otras personas pueden aprender. Les recomiendo firmemente este libro a padres, maestros y otros profesionales".

— Sheriff Ted Mink
Oficina del Sheriff de Condado de Jefferson
Golden, Colorado

"*Protegiendo La Inocencia* es un libro sumamente práctico en el cual la detective Obbema les explica a los padres y adultos interesados en el tema, cómo pueden ayudar a proteger a los niños del abuso sexual. Durante muchos años en este campo, ella se ha dedicado a entrevistar padres, niños y perpetradores de crímenes, lo que le ha dado una idea clara de lo que deben buscar y cómo hablar con los niños a un nivel apropiado para su edad, con el fin de ayudarlos a reconocer y a expresar su incomodidad con las relaciones precursoras del abuso. Todos los padres deben leer *Protegiendo La Inocencia*".

— David Martin, MSW
(Trabajador social, jubilado)
Supervisor del Equipo de Colocación en Hogares de Guarda. Departamento de Servicios para Niños y Familias. Chicago, Illinois

"*¡Protegiendo La Inocencia* es un libro increíble! Es una lectura atractiva. No quería parar de leerlo".

— Dana Jene Easter, J.D.
(Dra. en Jurisprudencia)
Fiscal en Jefe del Distrito de Delitos contra niños
Primer Distrito Judicial - Colorado

"La detective Obbema, en un estilo atractivo y claro, explica todo lo necesario sobre la mecánica para promover la seguridad sexual de su hijo. Los padres y los profesionales a cargo del cuidado de niños aprenderán habilidades críticas sobre cómo relacionarse y comunicarse de manera apropiada con ellos. Si cinco estrellas es el puntaje más alto, ¡le doy a Protegiendo La Inocencia diez!"

— Phil P. Baca, Jefe de Policía (Jubilado)
Commerce City, Colorado

"Es fácil criar a los niños a partir del temor en vez de hacerlo con un amor lleno de confianza. *Protegiendo La Inocencia* ha empoderado mis habilidades de crianza y me ha ayudado a saber claramente qué hace que un niño sea vulnerable. ¡Gracias por este libro!"

— Madre de tres niños,
Edades 4, 7, 12

Protegiendo La Inocencia

Guía para la Seguridad Sexual de los Niños

Detective Diane Obbema
Unidad de Crímenes contra Niños

Prefacio Por
Dra. Kathryn Wells

Highdale Press

Protegiendo La Inocencia
Guía para la Seguridad Sexual de los Niños
Por Diane Obbema

Published by

Sitio Web: www.ProtectingInnocence.com
Email: DetectiveDiane@gmail.com

Editor e ilustrador: Rick Marschall
Diseño de portada e interior: Nick Zelinger, NZ Graphics
Fotografía de la autora: Denise Aulie
La traductora del español: Maria Juarez

ISBN: 978-0-578-42136-0

LCCN: 2014921758

Impreso en USA

Primera Edición 2019

A cada niño:
Eres un tesoro y una bendición,
digno de amor y protección.

ÍNDICE

Prefacio

Por **Dra. Kathryn Wells**
Experta reconocida a Nivel Nacional
en Pediatría de Abuso Infantil

En años recientes, aproximadamente 686,000 niños estadounidenses fueron abusados o abandonados, y casi el 10 por ciento de ellos fueron víctimas de abuso sexual. En la gran mayoría de esos casos, el abusador era alguien a quien el niño conocía.

Como pediatra especializada en abuso y abandono infantil, he dedicado mi carrera al cuidado de niños que sufren estas atrocidades. Mi pasión también es evitar que ocurran estas cosas. Es por eso que el libro de la detective Diane Obbema, *Protegiendo La Inocencia*, es tan importante.

La manera más impactante de evitar que los niños se conviertan en víctimas de abuso sexual es crear conciencia en los padres. Protegiendo La Inocencia ayuda a equipar a los padres y a sus hijos con los conocimientos y las habilidades necesarias para maximizar la seguridad, disuadir a los depredadores y mantener abierta la comunicación entre padres e hijos.

En su libro, la detective Diane utiliza magistralmente su amplio conocimiento y experiencia de primera mano en la investigación de casos de agresión sexual infantil para equipar a los padres y cuidadores con la comprensión, el lenguaje y las habilidades necesarias para proteger mejor a los niños que aman.

En *Protegiendo La Inocencia*, los lectores aprenderán a identificar situaciones que pueden representar un riesgo mayor para los niños; descubrir cómo construir la confianza, la cual es crucial, con sus hijos; utilizar las claves para generar familiaridad en los niños; platicar con comodidad acerca de la seguridad sexual sin poner en peligro la inocencia del niño, y saber qué hacer si su hijo es víctima. La Detective Diane recurre, hábil y compasivamente, a toda su experiencia para proporcionar enfoques prácticos en la prevención del abuso sexual infantil.

Les recomendaré este libro con entusiasmo a mis colegas y a mis seres queridos.

Kathryn Wells, MD, FAAP es la Directora Médica de la Denver Health Clinic en el Family Crisis Center en Colorado. Es médico asistente en el Denver Health and Children's Hospital, así como investigadora clínica en el Centro de Kempe para la Prevención y el Tratamiento del Abuso y Negligencia Infantil, conocido mundialmente. La Dra. Wells es Profesora Asociada en el Departamento de Pediatría de la Universidad de Colorado

Introducción

Muchos padres asumen que sus hijos hablarían con ellos sobre cualquier cosa, pero cuando se enfrentan a presiones inesperadas que involucran su seguridad, los temores de los niños pueden llevarlos a guardar silencio. ¿Su hijo tiene la autoconfianza y el conocimiento necesarios para resistirse si alguien quiere hacerle daño? ¿Su hijo le diría a usted si una persona de confianza comete una violación sexual contra él o ella? La mayoría de las víctimas infantiles no lo cuentan... y si lo hacen, es años después. later.

En *Protegiendo La Inocencia* lo ayudaré a descubrir formas de mantener abierta la comunicación con su hijo sobre los temas más privados. Este libro le permitirá tener conversaciones significativas con su retoño sobre un tema que necesita saber: la seguridad sexual.

Soy Diane Obbema, con 30 años de experiencia en seguridad pública. Durante 12 años me especialicé como detective en la Unidad de Crímenes Contra Niños para la Oficina del Sheriff del Condado de Jefferson, en Colorado. Muchos niños me conocen simplemente como la Detective Diane. Mi perspectiva en este libro, a medida que exploramos problemas y compartimos formas de defensa de sentido común, es la de una detective veterana. A lo largo de los años he investigado cientos de casos de abuso sexual infantil: he entrevistado a víctimas, padres y perpetradores de crímenes, lo que me ha dado una comprensión única de los muchos asuntos involucrados en este tipo de delitos.

Las estadísticas de abusos en los EE.UU. muestran que el 93% de las víctimas de abuso sexual infantil conocen a sus abusadores de alguna manera, y el 68% son abusados por un miembro de la familia. Lo más probable es que el peligro para la inocencia de su hijo probablemente provenga de alguien a quien usted conoce personalmente.

En este libro analizaré factores importantes, dentro y fuera del hogar, que hacen a los niños vulnerables, y ofreceré sugerencias que pueden evitar que se conviertan en víctimas. Usaré ejemplos de la vida real, de mis propios casos, y presentaré información de primera mano sobre abusadores de menores: cómo piensan y las tácticas que utilizan para seducir tanto a padres como a hijos.

Las historias reales y los consejos probados a lo largo del tiempo lo ayudarán a reconocer las señales de alerta en las relaciones, que indican posibles amenazas para su hijo. Enfatizo las formas de construir una confianza más profunda con su hijo para contrarrestar los métodos que utilizan los delincuentes para socavar el vínculo vitalmente importante entre padres e hijos.

Después de más de una década de investigar casos de abuso sexual infantil, compartiré con usted las respuestas a las siguientes preguntas: ¿Puede un niño ser agredido sexualmente durante años sin que nadie lo sepa? ¿Un niño abusado muestra señales de abuso que otros pueden notar? ¿Puede confiarse más en la palabra de un niño que en la de un adulto? ¿Puede un niño ser cercano a otras personas sin confiarles que ha sido lastimado? ¿Por qué un niño no diría que ha sido abusado?

Para proteger a los niños, los padres deben estar dispuestos a involucrar a sus hijos en conversaciones significativas y efectivas que promuevan una relación abierta y establezcan una base de confianza. A medida que los padres descubren los temores de sus hijos, deben aprender a abordarlos de manera adecuada.

Este libro les ayudará a los padres a aprender maneras de contrarrestar las tácticas de intimidación y manipulación que los abusadores emplean para evitar que los niños hablen. A lo largo de la lectura, compartiré con usted cómo tener cuatro conversaciones vitales con sus hijos para construir su autoconfianza dentro de los límites saludables y maximizar su protección ante posibles delincuentes. Ayudaremos a infundir confianza en su hogar, para que los niños siempre puedan hablar con usted en caso de que alguien amenace su seguridad.

Protegiendo La Inocencia identifica las habilidades de comunicación que todo padre y cuidador necesita para platicar eficazmente sobre la seguridad sexual con su hijo pequeño, sobrepasando la incomodidad de abordar estos temas. Usted aprenderá a lidiar con ellos de una manera correcta y apropiada para la edad de su hijo, sin el temor de corromper su inocencia. *Protegiendo La Inocencia* ofrece terminología útil, puntos de conversación sensatos y pasos prácticos para maximizar la comunicación clara y minimizar la incomodidad entre usted y su hijo.

Mi deseo es empoderarlo a usted, padre amoroso, para rechazar con confianza cualquier posible victimización de su hijo. Usted es el maestro y defensor principal de su hijo. Este libro es una guía para impartir sabiduría e infundir confianza, con el fin de que su hijo pueda identificar y resistir situaciones potencialmente dañinas. Usted podrá construir un nivel de confianza con su retoño que ningún abusador podrá destruir fácilmente – ¡y podrá tener la certeza de que su hijo le hablará!

Algunas cosas para tener en cuenta sobre *Protegiendo La Inocencia*:

- La información de este libro está dirigida a padres con niños de 3 a 10 años.
- El término "padre(s)" se usa con frecuencia dentro del texto. Sin embargo, este libro también está destinado a padres solteros, abuelos y a cualquier persona que asuma un rol parental con un niño. Los proveedores de cuidado infantil, maestros, profesionales de la salud, trabajadores sociales, terapeutas y agentes del orden público también encontrarán útil este texto.

- Mi "voz" – las conversaciones de la detective Diane – con niños víctimas y abusadores provienen de casos reales. Se han cambiado los nombres para proteger las identidades de las víctimas.
- Los abusadores de menores por lo general son de sexo masculino. Existen delincuentes sexuales femeninos, pero son relativamente pocas. Las advertencias que se comparten en este libro se aplican a cualquier persona que interactúa con su hijo, independientemente de su sexo.
- Los adultos que fueron víctimas de abuso sexual en la infancia podrían encontrar inquietantes algunas partes de este libro. Si es así, hable con un amigo de confianza o busque el consejo de un terapeuta calificado.

Un Grito de Auxilio de un Niño

Perdí el sorteo entre los detectives de Crímenes Contra la Niñez en diciembre de 1999. Me tocó estar de guardia, lo que significaba que mi familia, que vivía fuera del estado, no me vería en la cena de Navidad y se perdería la oportunidad de vivir a través de mi recuento animado, los verdaderos crímenes que había estado investigando el año anterior. Sabían que cuando la gente sabía cuál era mi profesión, me convertía en un invitado interesante en las fiestas navideñas.

Ser soltera significaba que no era raro que me asignaran trabajo durante las vacaciones. Mis muchos años sirviendo en un auto patrullero me dieron muchas oportunidades para celebrar las fiestas dentro de mi radiopatrulla. Pero ese año, siendo detective, yo anticipaba una semana tranquila y sin incidentes. ¡Después de todo, era Navidad!

Pero estaba equivocada. En poco tiempo me di cuenta de que los eventos de esa semana serían el punto de inflexión en la vida de cuatro niños pequeños. Todo comenzó cuando Cindy, de once años, veía una pesadilla desarrollándose ante sus ojos.

De pie entre luces centelleantes y paquetes de colores vibrantes, Cindy tragó saliva. Un miedo atenazante la detuvo en seco; sus ojos estaban fijos en su madre, Karen, quién subía las escaleras jalando a su hermana, Mariah, de tres años. La pequeña Mariah parecía una muñeca de trapo a la que su madre, alta y amenazante, sacudía paso a paso. La cara de Cindy se sonrojó y su corazón latía con fuerza mientras veía a las dos figuras desvanecerse en la oscuridad en la parte superior de las escaleras. La puerta de un dormitorio se cerró de golpe... y comenzaron los gritos.

Se suponía que debía ser una feliz Navidad. Fue la primera vez que Cindy y sus tres hermanos menores pasaban la noche con su madre y su padrastro desde que los colocaron en hogares de acogida tres meses antes. La abuela fue designada como "supervisora" para dicha visita de vacaciones. Por alguna razón, esa noche la abuela se hizo de la vista gorda ante lo que estaba sucediendo, ignorando la única regla de la que todo el mundo estaba enterado: *ningún niño debía quedarse solo con mamá.*

Cindy estaba acostumbrada a ser el chivo expiatorio de la ira de su madre. Quizás esta noche iba a ser diferente, porque Karen sabía que las autoridades estaban velando por el bienestar de Cindy. A lo largo de los años, los moretones, golpes y ojos negros de Cindy habían hecho que los niños ingresaran en hogares de guarda tres veces distintas. Karen no podía arriesgarse a recibir otra citación penal y comparecer ante el tribunal. Pero esta noche, Karen decidió enfocar su ira en otra dirección.

Cindy escuchó hasta que los gritos de Mariah finalmente callaron. Karen bajó del piso de arriba para unirse a la familia que ahora se había reunido alrededor de la mesa alegremente decorada de la abuela. Todos asumieron el rol de "no pasa nada malo" y rápido procedieron a servir el pavo y todas sus guarniciones. Debido a la hipervigilancia tan arraigada en ella, Cindy monitoreaba los movimientos y el estado de ánimo de su madre. Su mente se llenó de pensamientos como: "¿Estará bien Mariah? ¿Estará herida? ¿Mamá culpará a los padres de acogida por los moretones de Mariah? ¿Qué clase de mentira querrá mamá que yo diga esta vez?

Cindy conocía bien a su madre; desde mucho tiempo atrás se volvió experta en repetir las mentiras que ella le decía que dijera. Karen quería que las lesiones de Cindy fueran fáciles de explicar para las mentes inquisitivas: las caídas en las escaleras, accidentes en bicicleta, juegos bruscos con otros niños, o simplemente su "torpeza", eran excusas comunes. Pero algunas de las mentiras simplemente no tenían sentido; los repetidos moretes en los ojos y los muchos chichones en la frente ya no se podían atribuir a "accidentes". Alguien lo notó y llamó a las autoridades. A Cindy la colocaron de nuevo en una casa de acogida, esta vez donde los Camden.

Cindy dio un suspiro de alivio cuando regresó a la casa de acogida de Mike y Teri Camden después de Navidad; la larga y tensa visita de vacaciones había terminado. En una casa llena de niños, la madre sustituta, Teri, se tomó el tiempo para tener una conversación privada de corazón a corazón con la introvertida Cindy. Mientras la ayudaba a desempacar, Teri le preguntó gentilmente cómo estuvieron las cosas durante la visita.

"Bien", respondió Cindy simplemente.

El amor incondicional de Teri por Cindy había construido un puente de confianza durante los tres meses anteriores, por lo que no pasó mucho tiempo antes de que saliera a luz la preocupación de Cindy por Mariah. Cindy le contó a Teri que Mariah había estado sola en el piso de arriba con su madre, y que temía que culparan a los padres de crianza de Mariah por los moretones de la pequeña.

"No hay necesidad de tener miedo. Me haré cargo de eso ", aseguró Teri.

"¿Alguien te tocó?"

"No. Nadie me tocó", dijo Cindy.

Cindy pasó varios minutos sentada en silencio, sopesando silenciosamente el riesgo de hablar. Nadie sabía que había una oscuridad más profunda en la vida de Cindy... y no involucraba a su mamá.

"Teri", finalmente se aventuró, "nadie me tocó durante la visita, pero alguien me ha tocado antes, mi padrastro".

Mirando al frente – como si no hablara con nadie – Cindy comenzó a revelar los secretos del abuso sexual por parte de su padrastro. Como si una presa finalmente estallara, Cindy dejó salir un horrible detalle tras otro. Teri tuvo cuidado de no interrumpir, y rápidamente sacaba a de la habitación a cualquier niño que intentara entrar. Escuchó atentamente mientras Cindy revelaba los años de abuso sexual, que comenzaron a los siete años.

Esa noche, sonó mi teléfono y Stan, un terapeuta infantil del Child Advocacy Center, me contó del informe de Cindy, lo que llamamos un "grito de auxilio". Stan y yo acordamos entrevistarnos con Teri y Cindy a la mañana siguiente.

Cuando la tímida niña de once años entró en la habitación, recuerdo haber pensado que era muy pequeña para su edad. Debido a lo pequeño de su cuerpo, ella tenía que ajustar con frecuencia el suéter grande que llevaba puesto. Charlamos sobre temas no estresantes para poder establecer una relación y evaluar cómo era el nivel de desarrollo de Cindy. Supe que era artista de corazón. Le encantaba leer libros y escribir poesía; su excelente vocabulario mostraba que era una niña inteligente e introspectiva. En medio del abuso que sufría, Cindy había encontrado cierto consuelo en el mundo de las palabras.

Suavemente, Stan y yo comenzamos a hacerle preguntas sobre por qué había venido a vernos. Durante más de una hora en una voz suave que a menudo era apenas audible,

Cindy reveló años de abuso sexual por parte del único hombre que había conocido como padre.

Los recuerdos de Cindy, de imágenes, sonidos, olores y emociones, pintaban un retrato claro y aterrador de una niña aislada que no tenía escapatoria.

En el caso de Cindy, no había testigos, ni evidencia de ADN, ni fotos o videos del crimen, y gracias a que el padrastro se había asesorado legalmente, no tuve la oportunidad de obtener una confesión. No tenía ninguna prueba evidente para convencer al jurado de que este crimen en efecto había sucedido.

Durante meses exploré todos los caminos que pude para obtener evidencia que corroborara las afirmaciones de Cindy y otros. Cuando completé mi investigación, sabía exactamente qué hacer.

Arresté al padrastro de Cindy.

Me llevó un año tener la oportunidad de enfrentar a este hombre en la corte. La larga y difícil prueba de 10 días dejaría que un jurado decidiera sobre su culpabilidad.

Los niños como Cindy necesitan voces adultas en sus vidas que los eduquen y protejan. Usted puede ser esa persona para su hijo. Le contaré el resultado del juicio de Cindy antes de finalizar este libro, pero ahora quiero contarles mi primera experiencia con el abuso sexual infantil.

Un Grito de Auxilio Atrasado

- El 73% de los niños víctimas no le cuentan a nadie sobre el abuso que han sufrido durante al menos un año.
- 45% de las víctimas no le cuentan a nadie por al menos 5 años.
- Algunos nunca lo revelan.

La cifra actual de víctimas de abuso sexual infantil se desconoce, pero el total probablemente sea mucho mayor debido a la falta de informes.

(Revelaciones acerca Abuso Sexual en Relación a la Salud del Adolescente: Resultados de la Encuesta Nacional de Adolescentes; Smith et al., 2000; Broman-Fulks et al., 2007)

Notas Personales

2

Un Tema Desagradable y un Recuerdo de Infancia

Escuchar las palabras "niño" y "sexo" en la misma oración deja una sensación de malestar en el alma. El tema del abuso sexual infantil es repugnante, los actos son aborrecibles. Solo pensar en eso puede hacer que un padre se mantenga despierto por las noches. Nadie, sin excepción alguna, se siente cómodo con este desagradable tema.

Un día estaba comentando un caso con un detective de Crímenes contra Niños (CAC por sus siglas en ingles). Estábamos en nuestros cubículos en un extremo de la Unidad de Investigaciones. De repente, escuché a un detective de la Unidad de Propiedades gritar desde el medio de la habitación. "¡Oigan, chicos de CAC, hablen más bajo! ¡No queremos escuchar sus casos!" Yo no podía culparlo, ¿quién en su sano juicio quiere escuchar esos detalles?

Incluso veteranos policías endurecidos que han participado en sangrientas escenas de homicidios han separado a personas en pleitos de violencia doméstica, han llevado a borrachos malhablados a tratamientos de desintoxicación, y se han hecho cargo en accidentes horribles de tráfico, se acobardan cuando los envían a atender una llamada de abuso sexual infantil.

Pero permitámonos, tan desapasionadamente como podamos, hablar de estos temas tabú. Mi intención al escribir este libro no es la de asustar a los padres o llenar sus mentes con imágenes horribles, es educar con sinceridad. La importancia de este libro reside en la comprensión de que los niños necesitan la ayuda de sus padres para protegerse del peligro que acecha en lugares inesperados, a menudo muy cerca de sus hogares.

Prepararlo a usted – para que prepare a su hijo— ante la posibilidad del acercamiento o presencia de un abusador significa que tengamos una conversación franca sobre cosas que pueden parecer inocuas pero posiblemente no lo son. No hay lugar para que los padres metan sus cabezas en un agujero simplemente porque el tema del abuso es aterrador o repulsivo; quienes lo hacen ponen involuntariamente en peligro a sus propios hijos.

"Para que triunfe el mal, solo es necesario que los hombres buenos no hagan nada."
~ Edmund Burke

El mundo de un niño comienza a expandirse pocos años después de su nacimiento. Ya sea el preescolar, la escuela dominical, los deportes, fiestas de cumpleaños, fiestas de pijamas, excursiones, jugar en la casa de un vecino o quedarse con una niñera, conforme van creciendo, los niños se van alejando de la vista de los padres paulatinamente, para interactuar con los demás. Aunque los padres reconocen que no pueden estar con sus hijos y protegerlos las 24 horas del día, los 7 días de la semana, su amor protector hace que de forma natural se sientan inquietos al ver que sus hijos comienzan a aventurarse en nuevos territorios, más allá de su vigilancia.

Hace muchos años, cuidé a mi sobrino Nathan, de tres años, mientras sus padres se encontraban fuera de la ciudad. El peso de la responsabilidad que yo sentía era intimidante. Aquí estaba esta pequeña vida humana, enteramente bajo mi cuidado. Tomé su mano mientras navegamos entre la multitud de padres que iban a dejar a sus hijos a la escuela dominical.

Una vez estuvo registrado, le solté la mano. Nathan me miró con ojos confiados mientras yo me alejaba para ir a la iglesia en otra parte del edificio, asegurándole que volvería por él.

Este niñito, tan querido para mí, poco a poco comenzó a interactuar con los demás. Por mi mente pasaron algunos pensamientos: "¿Estará bien? ¿Serán amables con él? ¿Y si alguien lo lastima?" Irme me produjo dolor en la boca del estómago; durante la próxima hora él no iba a estar bajo mi cuidado directo, sino al cuidado de otros. La idea fue desconcertante. No creo haber escuchado ni una palabra del sermón ese día.

Pero cuando era niña, me invadió un sentimiento más enfermizo.

La calle donde yo crecí estaba llena de niños. Jugábamos todo el día y, durante el verano, hasta la noche (o al menos hasta que se encendían las luces de la calle). A las Escondidas, Doña Blanca, Simón Dice, Luz roja/Luz verde, Indios y Vaqueros, Congelados. ¡Nos divertíamos mucho! Rara vez había una pelea entre nosotros, pero cuando la había, esta siempre involucraba a un niño en particular.

Micky era más o menos un año menor que yo, tenía una gran imaginación y con frecuencia despertaba al todo el vecindario los sábados por la mañana, sonando como si fuera una carga de caballería que corría por toda la calle. Micky vivía al lado mío y la mayoría de nosotros, los niños, sabíamos que tenía problemas. A veces, a Micky de repente le daba un ataque de rabia ciega cuando algo no salía como quería. Su comportamiento incluía gritar a todo pulmón, arrojar cosas y dar vueltas pataleando. Nosotros quedábamos aturdidos, paralizados y con la boca abierta al ver el comportamiento extraño e inapropiado de Micky. En una típica reacción infantil, lo apodamos y comenzamos a referirnos a él como "El Loco" Micky.

Ninguno de nosotros sabía que Micky tenía muchas razones para estar "loco".

Un día, yo jugaba encestando balones de básquetbol en mi patio trasero. Me llamó la atención oír las voces de Micky y su padre provenientes de la ventana abierta de la habitación de Micky. Pude escucharlo suplicar, "No, no quiero. ¡No quiero!" Estaba sollozando, "¡Por favor no me obligues!" Cada súplica iba respondida con el inconfundible golpe de una mano golpeándolo, una y otra vez. Era aterrador escuchar al padre de Micky pegándole.

Hice lo único que una niña podía hacer en ese entonces: entré a mi casa y se lo dije a mi mamá; ella se paró frente a la estufa revolviendo algo que estaba preparando para la cena. Su respuesta fue la típica de su generación: "Ven adentro, cierra la puerta; ocupémonos de nuestros propios asuntos".

Así que hice lo que se me dijo. Lentamente cerré la puerta trasera, ahogando así los gritos de Micky. Sin embargo, no podía calmar el terrible dolor de mi corazón, y seguí viviendo con el doloroso conocimiento de que no podía hacer nada para ayudar a "El Loco" Micky.

El padre de Micky abusó sexualmente de él durante años. Micky tenía razones para la ira que mantenía.

En ese momento yo no sabía qué era el abuso sexual infantil. Nadie hablaba de eso; nadie reconocía las señales, nadie intervino. Por consiguiente, no fue ninguna sorpresa cuando, años más tarde, descubrí que Micky había abusado sexualmente de un niñito de nuestra cuadra.

Excusas comunes que los adultos dan para no denunciar el abuso infantil

"No quiero involucrarme".
"Podría empeorar las cosas".
"Los miembros de la familia se enojarán conmigo".
"Podría arruinar mi relación con (el abusador) o (la víctima)".
"Alguien más hablará y hará algo".
"Puedo dejar que mi familia (o iglesia) lo maneje".

Aquellos fueron tiempos de inocencia e ignorancia. Las personas como mi madre no podían entender que existiera el abuso sexual infantil, ciertamente no en el caso de su vecino, de clase media, bueno y respetable. Este tipo de males no se mencionaban en la televisión en aquel entonces, ni se publicaban en los periódicos, ni se escribían en libros para padres. El famoso pediatra Dr. Benjamin Spock no lo mencionó en su best seller de 1946, 'Baby and Child Care', la biblia de la crianza de los niños para las generaciones venideras.

Los tiempos son muy diferentes ahora. Los riesgos son más altos. Si queremos ayudar a los niños a actuar con inteligencia y permanecer seguros, debemos influir en todos los aspectos de su ser; incluso abordando el incómodo tema de la seguridad sexual.

Notas Personales

La Protección de la Integridad del Niño

Hoy, los padres necesitan ser más prudentes que as generaciones anteriores de padres. A pesar de que los padres de hoy satisfacen las necesidades básicas de sus hijos en cuanto a comida y vivienda, e involucran activamente a sus hijos en la escuela, los deportes, las artes y la iglesia, el tema de la sexualidad a menudo se descuida. ¿Por qué? Porque el tema es incómodo, inconveniente o los padres lo consideran innecesario.

Una mañana, de camino al trabajo, hice mi parada habitual en la estación de gasolina Conoco, cerca de mi casa. A pesar de los años de intentos de mi familia por reformarme, todavía no puedo quitarme el vicio del refresco dietético, y esa mañana necesitaba mi dosis diaria. Mientras llenaba mi vaso, vi a una niña de jardín de infancia con su joven madre. Me encanta entablar conversaciones con niños, así que le pregunté a la madre si podía darle mi "tarjeta de presentación" con un consejo de seguridad a su hija. Después de que la mamá me dio permiso, me agaché y me presenté con la pequeña Bailey.

Yo vestía mi uniforme de Clase A, el mismo de la foto en mi tarjeta. Hablé con ella acerca de los sentimientos de "asco" que podemos tener en nuestra "pancita" cuando sucede algo que no nos gusta. Le señalé a Bailey el Consejo de Seguridad que estaba escrito en el reverso de mi tarjeta: "No te quedes callado cuando alguien te hace daño. Cuéntele a un adulto en quien confíes". Le sugerí que su madre o su maestra eran buenas personas con quienes hablar si algo la molestaba. Bailey sonrió y tomó la tarjeta. La mamá de Bailey sonrió y me dio las gracias.

Hice lo que había ido a hacer, pagué mi gasolina y mi refresco dietético. Mientras caminaba hacia el carro, la mamá de Bailey se acercó para preguntarme si le podía dar mi número de teléfono para llamarme más tarde. Ella tenía "algunas preguntas" que me quería hacer. Le di mi tarjeta de presentación y le dije que me llamara cuando quisiera.

Ayuda en su área local

Muchas agencias de ciudades, condados y municipios, así como organizaciones sin fines de lucro, ofrecen programas educativos sobre muchos temas de seguridad infantil:

- Seguridad en el uso del cinturón de seguridad
- Seguridad contra incendios

- Seguridad con el agua
- Seguridad en la escuela y el autobús
- Seguridad en Internet
- Seguridad con bicicletas
- Seguridad en el hogar

Para obtener ayuda, comuníquese con la Oficina de Relaciones con la Comunidad de estas organizaciones locales:

- Departamento de Policía
- Oficina del Alguacil
- Cuerpo de Bomberos
- Hospital del Niño
- Centro de Defensa del Niño
- Distrito escolar

Muchas de las grandes empresas patrocinan programas de seguridad infantil en su comunidad. Revise sus sitios web para obtener información.

Este es un escenario familiar para mí. Muchas veces las madres tienen preguntas después de escucharme hablar con su hijo o enseñar en un taller. Creo que la madre de Bailey tenía una preocupación y probablemente deseaba preguntar sobre asuntos sexuales. Quizá conocía a una víctima, o quería pedir orientación para manejar una situación, o tenía dudas sobre cómo hablar sobre los abusadores sexuales, o tal vez quería que abordara este tema ante una Asociación de Padres y Maestros (APM) o un grupo de mujeres. En general, las madres se preocupan por estas cosas; Los papás también lo hacen, pero especialmente son las madres, y agradecen cualquier ayuda que puedan obtener.

Pero la mamá de Bailey nunca llamó. Tal vez tenía un horario muy cargado o quizá sintió que sus preguntas no eran tan importantes después de todo. Sin embargo, si ella cuestionó la validez de lo que le preocupaba, se equivocó.

El dicho "la mejor defensa es una buena ofensiva" es cierto para todos los aspectos de la crianza y educación de un niño. ¡Vaya trabajo de tiempo completo es este! A continuación, algunos de los aspectos de "Crianza 101" que todos conocemos, pero que no siempre reconocemos conscientemente.

Tomemos la Ofensiva

Físicamente—Antes de que el peligro tenga la oportunidad de dañar a sus hijos, los padres les imparten la sabiduría de las reglas de seguridad. Desde "mirar a ambos lados antes de cruzar la calle" hasta "no jugar con cerillos" y "nunca aceptar golosinas de un extraño", las reglas de seguridad ayudan a los niños a reconocer el peligro y a saber cuál es su opción más segura.

Intelectualmente—los padres enseñarán a los niños colores, números, formas y letras. Los libros, juguetes y juegos educativos son herramientas que procuran ayudar al niño a progresar. Hoy, con más de 15 redes diseñadas exclusivamente para entretener y expandir el aprendizaje de su hijo, la programación de televisión para niños ha avanzado más allá de las fronteras de Plaza Sésamo.

Socialmente—Más allá de decir "por favor" y "gracias", los padres les informan a sus hijos cuáles comportamientos son apropiados y cuáles inapropiados en el entorno social de la familia, los amigos y la comunidad. Quieren que sus hijos interactúen con éxito con otras personas y se conviertan en ciudadanos respetuosos y responsables.

Emocionalmente—Los padres deben fomentar el apego positivo del niño hacia ellos a través del cuidado y afecto. Con la guía de los padres, los niños comienzan a identificar los sentimientos buenos y los malos, aprenden que las emociones son buenas y que todos las tienen. Los padres demuestran con ejemplos y palabras las diferentes formas en las que los niños pueden expresar sus sentimientos, especialmente las emociones más difíciles, como la ira y la frustración.

Espiritualmente—Los padres deben impartirles creencias a los niños, verdades que establezcan una base moral, para que los chicos se conviertan en personas de carácter digno de admiración, que deseen elegir lo bueno sobre lo malo. La creencia en un Dios amoroso y el valor de la humanidad motivarán a los niños a valorar sus propias vidas y las de los demás.

Los padres tienen mucho que hacer para criar y formar a niños sanos y felices, ¿pero notó un aspecto de la personalidad del niño que falta en esta lista? Hay uno. Es "Sexualmente". Ahí está—ese tema incómodo.

Los niños son hombres o mujeres. Su género es una parte intrínseca de quiénes son. Buscar el bienestar total de los niños incluye cuidar y proteger su naturaleza sexual.

Abuso Sexual Infantil

De las víctimas de abuso sexual infantil reportadas en 2012, un tercio (33.8%) eran menores de 9 años y el 26.3% estaban en el grupo de edad de 12-14 años.

(*Informe sobre el Maltrato Infantil 2012*, Sistema Nacional de Datos de Abuso y Maltrato Infantil, Departamento de Salud y Servicios Humanos de los EE. UU.)

El 44% de las violaciones con penetración ocurren en niños menores de 18 años. Las víctimas menores de 12 años representaron el 15% de las personas violadas, y otro 29% de las víctimas de violación tenían entre 12 y 17 años.

(Encuesta Nacional de Victimización del Crimen, 2002, Departamento de Justicia de EE. UU., Oficina de Estadísticas de Justicia)

> Solo alrededor del 38% de las víctimas infantiles revelan el hecho de que han sido abusadas sexualmente.
>
> (London, K., Bruck, M., Ceci, S. J., & Shuman, D. W. (2005). Revelación del abuso sexual infantil: ¿qué nos dice la investigación sobre las formas en que los niños cuentan? *Psicología, Política & Derecho Público, 11*, 194-226.)

Mi madre dio a luz a tres hijas. En su cuarto embarazo, ella y mi padre—aunque anhelaban un niño—se prepararon para recibir a otra niña en la familia. En ese momento no existían pruebas o ultrasonidos disponibles para determinar el sexo del bebé antes del nacimiento. Así que mientras mi padre iba de un lado a otro de la sala de espera (como todos los padres lo hacían en ese entonces), mi madre estaba pujando para dar a luz a su próxima hija.

Cuando nació el bebé, el médico anunció entusiasmado: "¡Es un niño!" Mi madre lo miró severamente y le reprochó, "¡Esa es una broma cruel!". Las palabras del doctor definitivamente no eran suficientes para ella. Entonces, levantando a mi hermano en el aire, aun con el cordón umbilical, el médico proclamó feliz: "¡La tubería es externa!" Había que ver para creer. Mi madre envió a las enfermeras a decirle a mi padre. Su emoción pronto se hizo eco en el pasillo del hospital, ¡tenía un hijo!

El género tiene sus sellos distintivos. Existe el predominio de diferentes hormonas: estrógeno o testosterona;

y diferentes cromosomas, XX o XY. Ciertas partes del cuerpo y sus funciones son exclusivamente masculinas o femeninas, y la "tubería", como señaló el médico, está adentro o afuera. Entonces, cuando se trata de educar a los niños sobre la seguridad sexual, es necesario hablar sobre las diferencias entre los sexos.

Los niños que han visto a un hermano menor, o un bebé del sexo opuesto sin ropa, probablemente ya han notado las diferencias entre los géneros. Lo más probable es que el niño le señale la diferencia a su padre o madre, haciendo una o dos preguntas. Esas preguntas interesantes o divertidas pueden surgir en los momentos más inesperados, como cuando hay invitados en casa, o mientras están en la iglesia, o cuando hacen compras en el centro comercial. Los padres, nerviosos y avergonzados, a menudo responden con una respuesta rápida y sencilla: "Hablaremos de eso más adelante", o "los niños y las niñas son diferentes", o "no hablamos de esas cosas en público". En silencio, los padres esperan que la respuesta satisfaga la curiosidad del niño, así no estarán sujetos a las temidas preguntas de seguimiento: "¿Por qué?", "¿Cómo?", o "¿Para qué sirve eso?"

Esto me recuerda una escena en la película *Un Detective en el Kínder*, cuando un niñito se para en la clase y orgullosamente le informa a su nuevo maestro: "Los niños tienen pene y las niñas tienen vagina". La incomodidad del momento es lo que hace que la escena sea tan divertida.

No estamos acostumbrados a escuchar de un niño palabras relacionadas con el sexo, y seguro que no queremos explicar esas palabras.

Debido a nuestra propia incomodidad, a menudo usamos apodos y eufemismos: paloma, pajarito, pipi, cuca… la lista sigue y sigue. A través de muchos años de conducir entrevistas forenses a niños, he escuchado una gran variedad de nombres que se les dan a los genitales masculinos y femeninos... algunos muy graciosos. Los padres transmiten los apodos que escucharon de sus padres, quienes probablemente los escucharon de sus padres. (¿Quién hubiera pensado que la genealogía estaba asociada con el nombre de las partes privadas?) Sin embargo, en el caso de muchos de nosotros, nuestros padres transmitieron más que simples nombres cursis; transmitieron su incomodidad por abordar problemas relacionados con el sexo.

Para el padre que se siente sensible ante la idea de mencionarle palabras como "pene" y "vagina" a un niño de tres años, déjeme decir que lo entiendo; como adultos, asociamos automáticamente esos términos con el sexo. Pero permítame tranquilizarlo, no estoy diciendo que los niños necesitan detalles sobre el sexo para enseñarles sobre la seguridad sexual. Conocer el término para una parte del cuerpo es una cosa, conocer todas las funciones de esa parte del cuerpo es otra cosa. No es necesario presentar o explicarles actos sexuales a los niños pequeños.

Es suficiente que aprendan que sus cuerpos son especiales, y que cada parte tiene un trabajo importante (no sexual).

Quizá usted esté pensando: "¿Por qué debería enseñarle términos anatómicamente correctos a mi hijo?, ¿no es innecesario?; prefiero usar una palabra clave que no sea tan embarazosa si se dice en público". Enseñarles a los niños los nombres propios de las partes sexuales del cuerpo tiene ventajas definidas para aumentar su seguridad. Compartiré por qué y veremos algunas formas fáciles de lograr esto en el próximo capítulo.

Proteger a los niños de los abusadores sexuales comienza con usar el mismo lenguaje nosotros y nuestros hijos. Esto no solo ayuda a los padres, sino también a la policía, los profesionales médicos, los maestros, los terapeutas, el clero y otras personas que, por ley, tienen el mandato de denunciar los abusos. En Colorado, al igual que en otras partes del país, las personas obligadas a reportar deben informar de cualquier abuso infantil, conocido o supuesto, a la policía local o a los Servicios de Protección Infantil. Se puede intervenir rápidamente, cuando es importante hacerlo, si los niños pueden comunicarse con claridad con un adulto de confianza acerca de lo que le ha sucedido.

¿Cómo es en su Caso?

¿Cuál es el nombre clave de su familia para las partes privadas?

¿Por qué cree que eligieron esos nombres?

¿Cómo manejaron sus padres las preguntas sobre la sexualidad?

¿Hay algo que desearía que sus padres hubieran hecho diferente?

Discuta estas preguntas con su cónyuge, también.

Notas Personales

4

Los Nombres Apropiados Para las Partes Íntimas

Una vez, una niña de cuatro años me dijo que había sido tocada en la China. Me tomó unos minutos y algunas preguntas aclaratorias poder entender que no es que hubiera estado en la China. Más bien, le habían tocado su "china". Hizo una gran diferencia cuando descubrí que "china" era la palabra que la niña usaba para vagina..

La confusión del momento me retrasó un poco, pero si no se me hubiera hecho claro que esta niña realmente se estaba refiriendo a su vagina, el caso habría resultado perjudicado. Los abogados defensores habrían obtenido una gran ventaja argumentando que la niña nunca reveló que la habían tocado en un área íntima, ya que la ley exige que se pruebe. La defensa podría argumentar que la fiscalía no tenía jurisdicción porque el presunto crimen ocurrió en —ya lo habrá imaginado usted—¡China!

Para presentar un caso criminal, un detective debe llevar a la oficina del fiscal del distrito información que respalde el cargo. Un detective no puede presentar especulaciones vagas sobre lo que podría haberle sucedido al niño. El uso de apodos familiares, la jerga vulgar o el doble sentido solo oscurecen el problema. Si los niños conocen los nombres propios de las partes íntimas del cuerpo, es más probable que expliquen claramente lo que les ha sucedido. Enseñarles los nombres anatómicamente correctos les permite identificar qué partes de sus cuerpos han sido tocadas inapropiadamente. Referirse a "allá abajo" es demasiado ambiguo.

“Pene", "nalga", "vagina" y "seno" son términos básicos que los niños deben conocer y usar cuando se refieren a sus partes íntimas. Si un padre no se siente cómodo usando esos términos, tengo un consejo: por el bien de su hijo, es hora de superarlo. ¿Por qué? Porque su hijo lo leerá a usted como a un libro.

Si los padres no pueden sentirse cómodos usando estas palabras, sus hijos tampoco se sentirán cómodos. Peor aún, el niño podría interpretar la incomodidad de su padre o madre como una indicación de que estas partes del cuerpo son de alguna manera "sucias" o malas. Si algo le ocurriera en dichas partes, es menos probable que el niño le cuente a ese padre sobre el abuso. Los niños elegirán guardar silencio en lugar de decir algo que creen que molestará a los padres.

Si dentro del entorno hogareño se permiten bromas o comentarios crudos sobre el sexo o las partes privadas, la importancia del cuerpo se degrada abiertamente. Es menos probable que los niños hablen del abuso sexual si sospechan que hacerlo los pone en riesgo de ser humillados por las personas más cercanas a ellos; preferirán mantenerse en silencio. Los niños necesitan que los padres demuestren de palabra, acción y actitud que el cuerpo humano es bueno, que cada parte del cuerpo es buena.

El punto es: los padres que quieren que sus hijos hablen con ellos deben ser accesibles. Si los niños se sienten seguros—sabiendo que ningún tema está fuera de límites con mamá o papá—es más probable que hablen sobre lo que les ha sucedido.

Los padres pueden construir un puente con sus hijos sobre el tema de la seguridad sexual usando términos anatómicamente correctos de una manera práctica y respetuosa. Sin drama, sin pena ni vergüenza, solo usando un lenguaje directo. Aprender "pene", "nalgas", "vagina" y "senos" es más fácil si los padres comienzan a usar los términos a medida que los niños aprenden los nombres de otras partes del cuerpo. Si un niño ya aprendió apodos para estas partes, nunca es demasiado tarde para que los padres les enseñen y usen los términos adecuados.

Algunos pasos simples para enseñarle nombres anatómicamente correctos a su hijo. (El siguiente ejemplo se refiere a un niño, pero también se aplica a las niñas).

Cómo Enseñar los Nombres Apropiados de las Partes Íntimas

1. Comience por compartir con su hijo lo especial que él es. *"¡Es genial ser un niño!"*. Recuérdele que lo quiere y quiere que siempre esté a salvo. Dígale: *"Tu cuerpo es una parte muy importante y especial de ti. Hay cosas que hacemos para cuidar y proteger nuestros cuerpos"*.

2. Indíquele que cuidar adecuadamente de nuestros cuerpos involucra muchas cosas: *"Alimentar nuestros cuerpos con las comidas correctas nos ayuda a ir creciendo grandes y fuertes... asear nuestro cuerpo nos mantiene limpios y nos protege de enfermedades... usar ropa nos protege del frío o el calor extremo... respetar nuestros cuerpos significa que los tratamos de la manera correcta para no resultar lastimados"*.

3. Dígale a su hijo que algunas partes del cuerpo deben mantenerse privadas: *"Una de las formas en las que respetamos nuestros cuerpos es cubriendo las partes que son privadas. Tenemos especial cuidado con las partes privadas cubriéndolas con nuestra ropa interior o nuestro traje de baño. No les mostramos estas partes a*

otras personas porque son privadas, y las demás personas no deben mostrarnos sus partes privadas".

4. Explique las similitudes y diferencias de género en las partes privadas: *"Los niños tienen partes privadas y las niñas tienen partes privadas. Algunas partes privadas son iguales, y algunas son diferentes. Los niños y niñas tienen nalgas. Nos sentamos en nuestras nalgas y ahí es por donde hacemos popó. Cada niño tiene una parte privada llamada pene, los niños usan sus penes para hacer pipí.*

   Igualmente, cada niña tiene una parte privada llamada vagina. La vagina es una abertura entre las piernas de la niña, que está cubierta por dos solapas de piel. La vagina está cerca del área donde las niñas hacen pipí. Las niñas también tienen senos que aumentan de tamaño a medida que ellas crecen. Los senos pueden contener leche para los bebés recién nacidos". (Para evitar confusiones, no creo que sea necesario enseñarles a los niños pequeños palabras como escroto, ano o labios, pero la elección es suya. Los testículos podrían no ser una parte esencial del cuerpo que las niñas necesiten aprender, pero los niños deben saberlo).

Usar dibujos simples y anatómicamente correctos de un niño y una niña puede ser muy útil durante esta conversación. (Vea los dibujos de ejemplo en la parte posterior de este libro). Usted o su hijo pueden señalar una parte del cuerpo y su hijo puede nombrarla. Conocer la función general de ciertas partes privadas ayuda a distinguir una parte privada de otra. Muchos niños dirán que la vagina es "donde hace pipí una niña", y eso es suficiente. Es importante que su hijo repita el nombre de cada parte para que escuche cómo pronuncia la palabra. Algunos niños tienen dificultades para hablar. Si pene lo pronuncia "bene", está bien. Usted simplemente necesita saber con claridad a qué se refiere su hijo si usa la palabra.

Transmitir la Información

Una charla amigable y afectuosa para transmitir de forma práctica esta información, puede resultar en un niño más informado y seguro; dicho niño es menos propenso a ser víctima de abuso.

Tenga en cuenta que los dibujos anatómicos solo deben ser utilizados por usted durante una conversación privada con su hijo. Los dibujos no se deben considerar imágenes para colorear, ni se deben colocar en el estante al lado de Thomas y sus Amigos y Hello Kitty. Después de usarlos, guarde los dibujos en un lugar seguro para usarlos posteriormente durante las conversaciones de "repaso" (aproximadamente seis meses después). Los dibujos anatómicos solo deben usarlos los padres cuando enseñen los nombres de las partes privadas. Los padres no deberían usarlos para interrogar a un niño sobre el abuso sexual.

Un entrevistador forense es la única persona entrenada para usar dibujos anatómicos con el fin de determinar si ha ocurrido abuso sexual. Una buena entrevista forense significa permitir que el niño defina lo que ocurrió; los entrevistadores deben permanecer neutrales, y nunca suponer o sugerir respuestas. Los entrevistadores forenses reciben información más completa y precisa al hacerles preguntas no inductivas a los niños. Una buena pregunta es aquella que no lleva al niño hacia una respuesta particular.

Los niños son impresionables y, a menudo, pueden captar las señales de los adultos que los rodean. Si no se formula correctamente una pregunta, el chico puede dar una respuesta de acuerdo con lo que cree que el adulto desea escuchar. Un niño puede cambiar una respuesta si se formula una pregunta demasiadas veces. Al hacer preguntas que no sugieren la respuesta— preguntas no inductivas—el niño tiene la oportunidad de ofrecer voluntariamente información que conoce personalmente.

Una pregunta *inductiva* es la que se presenta de tal manera que sugiere cierta respuesta del niño, o hace suposiciones sobre hechos aún por confirmar. Las preguntas principales a menudo se pueden responder con un "sí" o un "no". Hacer una afirmación y luego seguirla de una pregunta que afirma una respuesta, es inducir al niño. Digamos que su hijo llega a casa con un rasguño en la cara. Una pregunta importante sería: "Jerry fue grosero contigo hoy, ¿verdad?" Ha llevado al niño a estar de acuerdo con su suposición. Las preguntas sin respuesta serían: "¿Con quién estabas jugando hoy?" "¿Qué hiciste?" "¿Cómo se llevan ustedes?" "¿Qué causó ese rasguño en tu cara?"

A veces, los padres bienintencionados ponen en peligro una declaración o un caso criminal al hacer demasiadas preguntas antes de que un entrevistador capacitado pueda interrogar al niño. Los padres ansiosos tienen dificultades para permanecer neutrales cuando se trata del supuesto abuso de sus hijos. Esta ansiedad puede hacer que las preguntas se realicen de manera incorrecta. Debe limitarse la cantidad de preguntas que un padre le hace a un niño que denuncia un abuso sexual. Veremos más sobre este tema en el Capítulo 12.

Niños pequeños Y Falsos Testimonios

Es raro, pero en algunos casos un entrevistador forense detectará que alguien ha influenciado o asesorado a un niño con respecto a una denuncia de abuso sexual. Los niños pequeños no tienden a mentir sobre el abuso sexual; si mienten, generalmente se debe a una influencia externa.

Una vez realicé una entrevista forense con un niñito al que no se le habían enseñado los nombres apropiados para sus partes íntimas. Me dijo que un vecino había tocado su "privado"; yo no podía suponer que se refería a un área sexual de su cuerpo. Lo guié por un inventario de partes del cuerpo usando el dibujo anatómico de un niño pequeño. Nombró varias partes y me dijo que "los ojos nos ayudan a ver", "los oídos nos ayudan a escuchar", "una nariz es para oler", "los brazos son para levantar las cosas" y "las manos son para despedirse".

Cuando llegamos al pene y a las nalgas, se refirió a ambos como "privados". Para aclarar más, pregunté qué hacían esas partes. El pequeño estaba demasiado avergonzado para decírmelo. (Algunos niños dirán, "no sé", en lugar de mencionar "popó" o "pipí"). Le dije que, dado que había dos lugares llamados "privados", yo quizá no entendía de cuál estaba hablando. Le pregunté si había alguna manera de distinguir las dos partes privadas. Señaló el pene en el dibujo y dijo que era el "el privado de enfrente". Luego señaló las nalgas llamándolas "el privado de atrás"; después yo guardé los dibujos. Utilizando las designaciones que él había dado para cada parte privada, pude entender claramente a qué parte de su cuerpo se refería cuando continuó la entrevista forense. Si este chico hubiera aprendido, sin ninguna vergüenza asociada, los nombres y funciones anatómicas adecuadas, habría podido describir lo que ocurrió, antes y con más claridad.

Los padres pueden alentar la autoestima y el auto respeto de su hijo, transmitiéndole el mensaje de que cada parte de su cuerpo es importante, debe cuidarse y merece ser respetada por los demás. Dele a su hijo un sentido de propiedad al decirle: "tu cuerpo te pertenece a ti; tú estás a cargo de tu cuerpo; los demás deben respetarlo y tratarlo de la manera correcta; si a tu cuerpo le sucede algo que no te gusta, quiero que vengas y me lo cuentes, no me molestaré contigo". Si los niños pueden hablar de las partes íntimas del cuerpo con sus padres, en un ambiente tranquilo y sin vergüenza, es más probable que les hablen de situaciones incómodas más adelante.

Recuerde, la conducta de los padres establece el tono de la conversación. Si está avergonzado, su hijo sentirá que algo anda mal al hablar de estas cosas. Si lo hace en tono de burla y bromea, su hijo no se lo tomará en serio. Una charla amigable, afectuosa y práctica sobre esta información puede dar como resultado un niño más enterado y seguro, y un niño así es menos probable que sea víctima de un abuso.

Respeto por Nuestros Cuerpos

Los padres pueden alentar la autoestima y el auto respeto de su hijo transmitiendo el mensaje de que cada parte del cuerpo del niño:

- es importante
- tiene que cuidarse
- merece ser respetado por los demás.

En el primer capítulo de este libro le conté sobre Cindy. A los 11 años, Cindy ya conocía los nombres anatómicos de los genitales masculinos y femeninos porque los aprendió en la escuela, en la clase llamada "Creciendo y Madurando". Sin embargo, cuando le describió por primera vez a su madre adoptiva el abuso sexual, Cindy usó el término "su cosa" cuando se refirió al pene de su padrastro. Usar este eufemismo demostró la vergüenza que Cindy sentía al hablando del tema. Cindy usó este mismo término al día siguiente en mi entrevista con ella. Le pregunté a Cindy qué significaba "su cosa", Cindy dijo, "su pene". Le pregunté qué era un pene, Cindy dijo, "la cosa que tiene un chico entre las piernas". Cuando se le preguntó para qué se usaba el pene, Cindy contestó, "para hacer pipí".

En el primer capítulo de este libro le conté sobre Cindy. A los 11 años, Cindy ya conocía los nombres anatómicos de los genitales masculinos y femeninos porque los aprendió en la escuela, en la clase llamada "Creciendo y Madurando". Sin embargo, cuando le describió por primera vez a su madre adoptiva el abuso sexual, Cindy usó el término "su cosa" cuando se refirió al pene de su padrastro. Usar este eufemismo demostró la vergüenza que Cindy sentía al hablando del tema. Cindy usó este mismo término al día siguiente en mi entrevista con ella. Le pregunté a Cindy qué significaba "su cosa", Cindy dijo, "su pene". Le pregunté qué era un pene, Cindy dijo, "la cosa que tiene un chico entre las piernas". Cuando se le preguntó para qué se usaba el pene, Cindy contestó, "para hacer pipí".

Mi nivel de comodidad con los términos sexuales, y mi aceptación sin prejuicios de los detalles que estaba compartiendo, le ayudaron a Cindy a comunicar detalles difíciles con más libertad. Al conocer los nombres propios de las partes sexuales del cuerpo, Cindy pudo explicarme claramente las diferentes agresiones sexuales que había sufrido. Aunque Cindy detalló actos horribles, no respondí emocionalmente, ni con palabras, ni en mi tono de voz, ni en mis expresiones faciales. Escuché con calma, hice contacto visual con Cindy y continué con mis siguientes preguntas no inductivas.

Si usted se toma el tiempo de enseñarle a su hijo los nombres apropiados de las partes privadas, se sentirá menos avergonzado de tratar cualquier tema que pueda involucrar esas partes del cuerpo.

Preguntas Inductivas vs. las No-Inductivas

Una pregunta inductiva es la que se presenta de tal manera que le sugiere cierta respuesta al niño, o la que hace suposiciones sobre hechos aún por confirmar. Las preguntas inductivas a menudo se pueden responder con un "sí" o "no".

En la vida cotidiana, los padres que desean saber más sobre alguna situación que involucre a su hijo deben practicar cómo hacer preguntas que no sean inductivas. A través de las preguntas no inductivas se obtiene la información más precisa e imparcial porque el niño tiene la oportunidad de ofrecer voluntariamente información que conoce personalmente. Las preguntas no inductivas no son sobre suposiciones ni son acusatorias. Las preguntas no inductivas no asumen ni proyectan la opinión del adulto, lo que permite obtener más información directamente del niño. Las preguntas no inductivas a menudo comienzan con "quién", "qué", "cuándo" y "dónde".

Una pregunta no inductiva no sugiere una respuesta.

Situación de ejemplo: el niño llega a casa de la escuela.

Inductiva: Hoy tuviste un buen día en la escuela, ¿eh?
No inductiva: ¿Qué pasó en la escuela hoy? Cuéntame.

Una pregunta no inductiva no contiene una opción de respuestas.
Situación de ejemplo: descubre que el televisor se quedó encendido toda la noche.
Inductiva: ¿Tú o tu hermano dejaron la TV encendida toda la noche?
No Inductiva: ¿A qué hora te fuiste a la cama anoche? ¿Quién estaba mirando televisión después de que te fuiste?

Una pregunta no inductiva no identifica a una persona antes de que el niño la haya identificado.
Situación de ejemplo: falta dinero de la mesa.
Inductiva: Sean tomó el dinero de la mesa, ¿cierto?
No inductiva: ¿Quién ha estado en la casa hoy? ¿Dónde está el dinero que estaba en la mesa? ¿Cuándo fue la última vez que lo viste?

Notas Personales

Notas Personales

Elegir Reglas de Protección para su Hogar

Este capítulo podría no sentarle bien a algunos padres, pero no importa. Después de años de escuchar cosas trágicas que sucedieron a puerta cerrada, no puedo andarme por las ramas. Este es mi desafío: por el bien de su hijo, mire con ojo crítico *cómo se comporta usted y lo que permite dentro de su propio hogar.*

Los límites son marcadores, definidos para delimitar. Son líneas divisorias que ayudan a los niños a identificar lo que es aceptable y lo que no lo es. Un límite es decirle a su hijo: "nuestra familia se comporta de cierta manera para proteger lo que valoramos". Por ejemplo, si no se permite insultar en el hogar, ese es un límite. Les enseña a los niños que hablar respetuosamente con los demás es un valor de su familia; por lo tanto, las palabras irrespetuosas no son aceptables. Los padres que siguen este límite en sus propias vidas predican con el ejemplo y fomentan el valor del respeto como parte del carácter de sus hijos. Por supuesto, lo opuesto también se hará realidad.

El padre malhablado sabotea el mensaje de respeto. Los niños ven la hipocresía en el mensaje del tipo "haz lo que digo y no lo que hago". Así, el respeto se convierte en un chiste, no en un valor.

Los padres que creen que las imágenes sexualmente explícitas son inapropiadas y dañinas para que los niños pequeños las vean deben pensar seriamente sobre la presencia de la pornografía en sus propios hogares. La programación de las cadenas de televisión aún puede tener algunos estándares, pero muchos canales de cable no los tienen. En muchas estaciones de cable se presentan exhibiciones frontales de desnudos adultos masculinos y femeninos y actos sexuales explícitos.

Los padres que no creen que los niños saben cómo usar un control remoto, un reproductor de DVD, una computadora o un teléfono inteligente se están engañando a sí mismos. Los niños y adolescentes pueden acceder a la pornografía si está disponible. Ocultar el porno para verlo en privado no es ninguna garantía de que no se descubra. Lo sé porque muchos niños me han dicho que lo han visto, y que lo encontraban en los escondites de sus padres.

"Los niños pequeños que están expuestos a contenidos destinados para adultos en la televisión y en películas, se vuelven sexualmente activos más temprano durante la adolescencia".

(Boston Children's Hospital, estudio del 2009)

La curiosidad es innata en los niños, asimismo lo es repetir las acciones y comportamientos que observan. Las imágenes sexuales gráficas disponibles a través de programas de televisión, DVD, teléfonos celulares, sitios web, laptops, iPads, archivos de computadora, memorias USB, revistas, letras de canciones o fotografías, brindan información e imágenes que un niño no está preparado para comprender ni es capaz de sobrellevar a ningún nivel—mental, emocional, psicológico, físico o espiritual.

Ver tales imágenes puede ser un catalizador para que el niño adquiera un comportamiento sexual. En todos los abusadores sexuales adolescentes que entrevisté, la pornografía era parte de su vida, ¡en todos! Cuando estos niños vieron porno, ¡la curiosidad y la excitación sexual tomaron control sobre ellos! Comenzaron a tener un comportamiento sexual con las únicas víctimas a las que tenían acceso: niños más pequeños. Las víctimas incluyen hermanos, primos, niños del vecindario, niños de guarderías, etc. Todos estos niños inocentes se convirtieron en víctimas de adolescentes que se inspiraron en la pornografía.

No estoy hablando de la interacción inocente entre niños muy pequeños que podrían estar "jugando al doctor". Me refiero a los adolescentes que eligen abusar sexualmente de otros más pequeños y más vulnerables. A pesar de saber que tales acciones son incorrectas, ellos optaron por practicar el abuso, motivados a cometer estos crímenes para lograr su propia gratificación sexual.

El delincuente más joven que he arrestado fue un niño de 12 años; lo llamaré Kenny. Era un chico de porte medio y cabello rubio, con la cara redonda y gafas de marco metálico que lo hacían parecer estudioso. Era un verdadero encanto y bastante precoz. Con el permiso de sus padres, Kenny y yo hablamos sobre su relación con su hermana menor y su hermano, de 5 y 3 años, respectivamente (ya había entrevistado a los hermanos). Kenny tenía la típica visión de hermano mayor en cuanto a tener que tolerar a sus hermanos.

Cuando mencioné las cosas de las que hablaron sus hermanitos, Kenny se sintió incómodo. Su primera respuesta fue desechar las declaraciones de ellos diciendo que lo habían "imaginado". Mis detalles fueron lo suficientemente específicos para que Kenny se diera cuenta de que sus hermanos habían 'soltado la sopa'. No había forma de que él pudiera mentir para salir de esta situación. Finalmente, Kenny comenzó a decir la verdad; me contó cómo violó sexualmente a su hermana y a su hermano. Estos abusos ocurrieron en múltiples ocasiones durante varios meses; sucedieron en su casa mientras sus padres estaban en otras habitaciones.

"¿Cómo se te ocurrió la idea de hacer estas cosas?", le pregunté.

"Bueno", respondió con franqueza, "Solo puse la palabra 'playboy' en el buscador en la computadora".

Kenny visitó varios sitios y me explicó cómo vio fotos de mujeres desnudas. Encontró una parte de una página web que resaltaba el "consejo sexual del día", siguió el enlace. Le gustó lo que vio y leyó, le resultaba excitante. Kenny me dijo que tenía erecciones mientras miraba este material, y aprovechaba todas las oportunidades para estar en la computadora cuando sus padres no andaban cerca. Pronto no fue suficiente con mirar imágenes o tratar de imaginar los actos que se describían tan vívidamente en las imágenes. Kenny decidió vivir sus fantasías atacando a sus vulnerables hermanos. Los ataques iban seguidos por severas advertencias de Kenny a su hermana y hermano: "¡No se lo digan a mamá o papá!" Kenny me dijo que sabía que estos actos estaban mal, pero pude ver que no le importaba. No mostró remordimiento por sus acciones, ni empatía por el trauma que les causó a sus hermanos.

Sabía que Kenny volvería a abusar de alguien si se le presentaba la oportunidad. Busqué opciones para ubicarlo con otros miembros de la familia que no tenían hijos o en un hogar de crianza temporal, pero nadie estaba dispuesto o disponible para hacerse cargo de él. Entonces, con el fin de proteger a sus hermanos, me hice cargo de la custodia de Kenny y lo coloqué en un centro de detención juvenil; mi esperanza era que, con la intervención temprana y el asesoramiento específico, él pudiera conocer los límites adecuados, aprender a tener empatía y, finalmente, reunirse con su familia. Yo sabía que sería un proceso largo.

Kenny tuvo problemas durante sus primeros años de adolescencia; su nombre surgía ocasionalmente a medida que pasaron los años, generalmente asociado con peleas con otros menores, pero no me asignaron esos casos y no tuve contacto con él.

Un día, mi teléfono del escritorio sonó en la sede. Era el oficial quien brindaba seguridad en el vestíbulo público.

"Detective Obbema, ¿conoce a Kenny ______?"

"Sí. Lo arresté hace ocho años".

"Bueno, él está aquí en el vestíbulo pidiendo hablar con usted. Le pregunté si tenía cita y me dijo que no. ¿Quiere verlo?"

"Por supuesto, dígale que tome asiento; bajaré en seguida".

Colgué el teléfono y me pregunté: *"Después de todos estos años, ¿por qué iba a venir a verme? Me sorprende que incluso recuerde mi nombre".*

Kenny era más alto, por supuesto; vestía una chaqueta de cuero negro y jeans. Tenía un par de tatuajes en sus manos. Su cabello rubio se había oscurecido, pero sus gafas eran sorprendentemente similares a las que llevaba años antes. Se puso de pie cuando me acerqué a él con mi mano extendida. "Hola, Kenny. ¿Cómo estás?, ha pasado mucho tiempo". Nos dimos la mano y él sonrió levemente. "Hola, detective Obbema, estoy bien; quería venir a verla".

Lo llevé a una oficina pequeña para que pudiéramos hablar en privado. Comencé la conversación diciéndole que a menudo pensaba en la noche en la que nos conocimos. Kenny se sorprendió cuando recordé cosas personales sobre él de esa noche. "¡Realmente lo recuerda!", dijo.

Le comenté que hubiera querido encontrar una opción diferente para su reubicación, pero tenía que asegurar la protección de su hermano y hermana.

"Es por eso que estoy aquí", me dijo Kenny. "Quería agradecerle; usted me impidió que tomara un camino equivocado. Hubiera lastimado a otros. Solo quería que supiera eso".

Peligros Digitales y en Internet

En los últimos años, el FBI, las fuerzas del orden público estatales y locales y el público han desarrollado una mayor conciencia del problema de la delincuencia infantil y la pornografía infantil. Incidentes relacionados con estos crímenes están siendo identificados en línea para su investigación, como nunca antes. Entre los años fiscales 1996 y 2007, el número de casos abiertos en todo el FBI se catapultó de 113 a 2,443. Desde 2007 hasta el presente año, las cifras han seguido aumentando constantemente. En diciembre de 2013, el FBI tenía aproximadamente 7,759 investigaciones pendientes de pornografía infantil/explotación sexual infantil en este programa. A medida que el poder y la popularidad del Internet continúan expandiéndose, es probable que el número de casos abiertos siga creciendo.

(Buró Federal de Investigaciones - Programa de crímenes violentos contra niños; www.fbi.gov)

Fue una bendición inesperada ver a este joven; los policías rara vez o nunca recibimos este tipo de comentarios positivos. Kenny y yo terminamos hablando de sus esperanzas para el futuro. Todavía estaba esforzándose por resolver sus relaciones familiares, pero tenía un empleo y se iba a casar. Me mostró con orgullo una foto de su prometida. Yo le pedí que les diera mis saludos a sus padres y me dijo que lo haría.

Ha sido una lucha muy larga y difícil para este joven. Qué diferente hubiera sido la vida para Kenny—y sus hermanos—si nunca hubiera visto pornografía. La vida de Kenny es una historia de advertencia. La pornografía corrompe y confunde las mentes jóvenes.

Cualquier dispositivo con conexión a Internet es una entrada potencial a la pornografía para su hijo. ¿Qué filtros tiene usted para esos dispositivos? Invierta en un programa de software para padres, que le dé control sobre todo a lo que su hijo pueda acceder. Proteger a los niños y adolescentes de ver pornografía debe ser una prioridad para los padres; los padres sabios no le darán lugar a la pornografía en su hogar, ¡este es un límite saludable!

Según un informe del NPD Group, una empresa global de investigación, en marzo de 2013, los hogares estadounidenses tienen un promedio de 5.7 dispositivos conectados al Internet. A lo que su hijo no pueda acceder en su casa, podría acceder en el hogar de un amigo. Siempre es conveniente conocer a los padres de los amigos de su hijo; iniciar una conversación con ellos sobre este tema podría ayudar a proteger a su hijo.

En una escala menos gráfica, hay otras prácticas en el hogar que también pueden erosionar los niveles de respeto que los niños deben tener hacia sus cuerpos. Prácticas como padres que caminan desnudos por la casa; padres que se bañan con niños lo suficientemente mayores como para cuidar de su propia higiene; padres que dejan las puertas abiertas cuando se visten, usan el baño o tienen relaciones sexuales; o padres que bromean abiertamente sobre el sexo, los senos o los genitales; todos estos son ejemplos de límites inadecuados. Estas acciones subvierten el mensaje de respeto que los niños deben aprender: Tú y tu cuerpo son especiales; tus partes privadas deben mantenerse cubiertas y los otros no deben verlas ni tocarlas; nadie debe mostrarte sus partes privadas.

Sea el Guardián de los Medios

- Vea programas con sus hijos.
- Seleccione programas apropiados para su edad.
- Limite el tiempo de TV y de la computadora.
- Coloque la TV / computadora en áreas familiares y no en habitaciones individuales.
- No deben permitirse teléfonos o tablets en las habitaciones de los niños durante la noche.

- Apague la TV / computadora durante la hora de la comida familiar.
- Cambie los programas que no le parecen apropiados.
- Hable sobre el contenido de los programas de televisión y las películas. Comparta sus comentarios y creencias sobre lo que se vio.

Una noche, mi sobrina de cinco años se estaba bañando. Para ver cómo estaba, llamé a la puerta del baño y me anuncié. "¡Adelante!", gritó; entré y la vi moviéndose vigorosamente por la bañera. "¡Tómame una foto nadando, tía Diane!" Ella quería que sus aventuras acuáticas fueran conmemoradas por mi cámara nueva. Le dije que no podía tomarle una foto nadando, porque la foto mostraría sus nalgas. Le recordé: "Nuestras partes privadas son privadas". Sin una pizca de disgusto, ella respondió: "Ah, sí", y siguió jugando.

Ella y yo habíamos tenido conversaciones previas sobre cómo cuidar y respetar nuestros cuerpos. Mantener nuestras partes privadas cubiertas fue parte de esa discusión. Lo que practiqué en mi casa (la puerta cerrada mientras se bañaba, golpear a la puerta, anunciarme, pedir permiso para entrar y negarme a sacar una foto de ella desnuda) servía para reforzar mis lecciones acerca del respeto.

Mi sobrina estaba tomando consciencia de lo valiosa que era; estaba aprendiendo a darse a respetar por los demás. Sabe, además, defenderse con valentía si alguien no le da el respeto que merece.

Queremos que nuestros hijos se respeten a sí mismos. Si usted le está enseñando a su hijo actitudes, comportamientos y palabras que expresan respeto, le parecerá inapropiado cuando otros actúen de forma contraria. Y eso es bueno.

Ser Respetado

Comparta con su hijo las maneras como se muestra respeto por los demás. ¡Hágale saber que los niños también deben ser respetados!

- Escucha sin interrumpir.
- Di lo que necesites decir sin gritar ni insultar.
- Usa las palabras "por favor" y "gracias".
- Nunca le pidas a alguien que haga algo que sea vergonzoso.
- Pregunta amablemente. Si alguien dice "no", acéptalo. No exijas las cosas a tu manera.
- Elogia las cosas agradables de una persona.
- Solo toca a alguien con toques "permitidos".

- Di "Lo siento" si hieres los sentimientos de alguien.
- Sé sincero.
- Nunca guardes un secreto sobre alguien que está siendo herido.
- Sé amable, no seas malo. Si alguien es malo, dile a esa persona: "Eso no es bueno", y cuéntaselo a un adulto en quien confíes.

Pregúntele a su hijo, cuando regresa a casa después de un evento, si hubo algo que lo haya hecho sentirse incómodo sobre la forma en la que actuaron los demás. La respuesta de su hijo puede proporcionarle una idea de las influencias que no conviene que el pequeño reciba. Luego puede conversar con el niño acerca de no tolerar faltas de respeto de los demás. La selección de amigos, actividades y entornos necesita pasar la prueba del nivel de respeto. Mientras tanto, los padres deben demostrar respeto—especialmente con respecto al cuerpo humano—en su propio hogar.

Enseñar respeto por las partes íntimas significa que *tocar, ver o platicar sobre partes íntimas* siempre debe tener un *propósito legítimo.* Caminar "en cueros" solo porque a un padre se le da la gana, o ducharse con los niños para "ahorrar tiempo y agua", no constituyen razones legítimas para exponer los genitales de adultos o adolescentes a los niños. Los padres que practican la modestia demuestran respeto por el cuerpo humano y les enseñan a sus hijos los comportamientos apropiados que se deben imitar.

Los chicos necesitan saber que solo ciertas personas, por *razones específicas*, pueden ver o tocar los genitales de un niño. Los padres deben aclarar quiénes son esas personas y las circunstancias en las que esto se permite. Por ejemplo, un médico puede examinar las partes privadas de su hijo si se lastima allí; asegúrele al niño que mamá o papá estarán presentes durante el examen.

Si es necesario aplicar un medicamento y el niño no puede hacerlo, un padre o abuelo (preferiblemente una pariente en el caso de las niñas) puede aplicarlo. Además, los niños pueden entender que los bebés son demasiado pequeños para cuidarse solos. Las partes privadas de un bebé las puede tocar una niñera o niñero al bañarlo o cambiarle los pañales. Estas son las únicas excepciones a la regla que dice: "Nadie puede tocar tus partes privadas".

Los hermanitos o sus amigos que están en la casa pueden ver cuando se le están cambiando los pañales a un bebé. Si un niño hace alguna pregunta acerca de una parte del cuerpo de un bebé, aprovéchela como un momento de enseñanza. Recuérdeles a los niños que estas partes son privadas y que la única razón por la que le quitan el pañal es para atender las necesidades del bebé. Hágales ver que ellos son mayores y pueden cuidarse solos. Ellos necesitan privacidad cuando se cambian de ropa o van al baño porque sus partes privadas deben mantenerse en privado. Cambie al bebé sin demorarse en la conversación.

Un día hablé con la madre de una joven víctima de agresión sexual para comprender mejor la actitud de su familia sobre las partes íntimas del cuerpo. La madre mencionó que era común que los miembros de la familia extendida sacudieran el pene de su bebé y bromearan: "No te preocupes, algún día crecerás".

Tal vez no pretendían causar daño, pero yo no pude evitar preguntarme qué mensaje se les daba a los otros niños de la familia al aceptar este comportamiento. El mensaje podría ser que las partes privadas son para que otros las toquen cuando lo deseen; o tocar las partes privadas es divertido; o si la gente toca a mi hermanito, seguramente está bien que alguien me toque a mí; o está bien que yo toque las partes privadas de otra persona. Las prácticas familiares que contradicen los límites buenos hacen que los niños sean vulnerables a la sexualización.

Establecer límites saludables dentro del hogar le enseña al niño a esperar la misma privacidad y respeto de los demás fuera del hogar. Definir límites claros le ayuda al niño a ser más prudente; permite que tenga una fuerte alarma interna, la cual se activará si alguien traspasa los límites que el padre ha trazado previamente.

Una buena forma de ponerles en claro los límites a los niños es llamarlos "reglas de seguridad". Al enseñarles las reglas de seguridad, los padres les permiten a los chicos identificar dónde están los límites. Los niños pueden entender que cuando alguien no respeta y obedece una regla de seguridad, algo está mal.

Los padres pueden aumentar la sensibilidad de sus hijos al peligro (sin causarles un miedo innecesario) platicando de la forma en la que sus sentimientos los ayudarán a protegerlos; dígale a su hijo que los sentimientos incómodos o desagradables — como la tristeza, el enojo, la confusión, la vergüenza, el miedo u otro sentimiento que no puedan nombrar— lo ayudarán a recordarse de qué hacer: ir a un lugar seguro y hablar con una persona de confianza. Asegúrele a su hijo que hablar con una persona de confianza le ayudará a que los sentimientos de desagrado desaparezcan.

Dígale a su hijo que si *cualquier* persona —familiar, amigo o desconocido— rompe alguna regla de seguridad con respecto a tocar o mostrar sus partes privadas, seguramente él va a tener uno de esos sentimientos incómodos; hágale saber al niño que usted siempre estará listo para escuchar y ayudar si esto sucede.

Los niños que han tenido ejemplos claros y consistentes de las reglas saludables dentro del hogar reconocerán el peligro más rápidamente. Actuarán de una forma más rápida conforme a lo que se les ha enseñado: aléjense del peligro lo más rápido posible, busquen a un adulto de confianza y cuéntenle lo sucedido. Será más difícil para el abusador tener éxito si los niños reaccionan ante el peligro que perciben. Lo que no conviene es que los niños experimenten confusión sobre el valor del cuerpo humano o su propósito. Padres, que las actitudes y comportamientos dentro de su hogar refuercen en sus hijos lo que es bueno, correcto y respetable.

Cuando Otros Padres no Tienen las Mismas Reglas de Seguridad que Usted Tiene

Es importante ayudarle a su hijo a saber cómo responder ante los adultos que no siguen las reglas de seguridad que usted tiene en su familia. La regla de seguridad puede no tener nada que ver con tocar. Tal vez hay un adulto para el que está bien permitir que su hijo viaje sin asiento para niño en el automóvil, o nadar sin chaleco salvavidas, o ver una película de clasificación R. En estos casos, conviene que su hijo esté preparado para comunicarse. Juegue a diferentes roles con su hijo sobre cómo responder en estas situaciones antes de que sucedan. Estos son algunos términos sugeridos para que su hijo sepa qué hacer en las situaciones anteriores:

Niño: *"Sr. Brown, mis padres me dijeron que siempre debo sentarme en un asiento para niño cuando voy en un carro. Es para que yo esté seguro. ¿Tiene uno que pueda usar?"*
Niño: *"Sra. Smith, mis padres dicen que no puedo nadar sin usar un chaleco salvavidas. Es para que yo esté seguro. ¿Tiene uno que me preste?"*
Niño: *"Sr. Jones, mis papás no me permiten ver películas clasificadas 'R'. ¿Hay algo más que podamos ver?"*

Estas respuestas les ayudan a los otros adultos a entender que su hijo conoce las reglas que le han enseñado, que respeta su autoridad como padre y que es probable que su hijo hable con usted más tarde sobre esta situación.
Dígale a su hijo que puede llamarlo a usted cuando sienta que se encuentra en una situación incómoda. Y que siempre estará orgulloso de su buena decisión de hablarle.

La comunicación honesta con su hijo lo ayudará a usted a comprender mejor el entorno en el que se encuentra cuando está lejos de casa.

Notas Personales

6

Contactos "Que Están Bien" y los "Que No Están Bien"

Mi familia es una familia cariñosa. Nuestras reuniones están llenas de abrazos, nos tomamos de la mano, entrelazamos nuestros brazos, nos damos, palmadas en la espalda, nos sentamos uno al lado del otro, y les damos muchos, muchos besos a los más pequeños. Nos abrazamos cuando saludamos. Nos abrazamos cuando nos despedimos. Esto es una parte de la forma en la que nos amamos. Otras familias pueden ser más reservadas al demostrar su cariño.

El contacto humano es algo maravilloso. Como humanos, necesitamos del contacto para sentir amor, seguridad y pertenencia. El tacto es poderoso. *Dónde* sucede el contacto, *cuándo* sucede, *cómo* sucede y *con quién* sucede, puede tener un impacto en nosotros hasta en lo más profundo de nuestro ser. El tacto puede dejar huellas de por vida en nuestras almas. Algunas huellas serán buenas y enriquecedoras; pero, trágicamente, otras serán malas y terriblemente destructivas.

¿Cómo pueden los niños saber qué tipo de contacto es enriquecedor y cuál es destructivo?

En algunos casos, lo que sienten los niños puede ser un barómetro; una palmadita en la espalda los hace sentirse apreciados y orgullosos, un apretón de manos les permite a los niños saber que están siendo reconocidos y bienvenidos. Esos son buenos sentimientos. Por otro lado, una patada en las espinillas o un golpe en el brazo no se siente nada bien. Los niños descifrarían fácilmente que los últimos contactos pertenecen a la categoría de incorrectos, ¡porque esos contactos duelen!

Evaluar el tipo de contacto correcto, solo con los sentimientos, puede ser engañoso. Decir que "los buenos contactos se sienten bien" y "los malos contactos se sienten mal" no es suficiente información para un niño. Una vacuna del médico o una palmada correctiva para alejar al niño de una estufa caliente pueden no sentirse bien en absoluto. Los contactos que producen incomodidad física pueden ser algo bueno y necesario para mantener a los niños sanos y seguros. Por el contrario, los contactos malos no siempre se sienten mal.

Como adultos, sabemos que los niños no son responsables de ser víctimas del abuso, pero los niños no comprenden esto por sí solos, y muchos supondrán que hicieron algo mal. Los niños pueden estar en conflicto con sus sentimientos acerca del abuso porque sus cuerpos están experimentando algo que no es para que lo experimenten a esa edad... el contacto sexual.

Varios niños víctimas que he entrevistado se sentían culpables por su victimización. Estos muchachos sentían una profunda vergüenza y responsabilidad por lo que les sucedió. ¿Por qué? La razón es simple: el mal contacto lo sintieron agradable.

Aunque sabían que lo que les estaba pasando estaba mal, su cuerpo tuvo una respuesta de placer ante el contacto sexual. Esto era muy confuso para ellos. Cada vez que yo veía esa culpa en un niño, me tomaba el tiempo para compartir cómo nuestros cuerpos responden naturalmente al contacto. "Así es como estamos hechos", les decía. "Tu cuerpo respondió automáticamente, así que no hiciste nada malo". Esto ayudaba a aliviar la culpa del niño y permitía que se abriera más sobre lo que ocurrió.

Una mejor forma de categorizar para los niños los contactos correctos e incorrectos es etiquetar los toques como los "que están bien" y los "que no están bien". De esta forma, los niños no necesitarán confiar únicamente en sus sentimientos para evaluar la presencia de peligro. Los padres pueden ayudar a sus hijos a determinar cuándo un contacto (que podría o no sentirse bien) es un contacto incorrecto dándoles ejemplos. Estos ejemplos concretos hacen que el límite sea aún más claro para el niño, porque describe un acto, no solo un sentimiento.

Aquí hay algunas sugerencias. (El ejemplo se refiere a una niña, pero se aplica tanto a niños como a niñas).

1. Platique de esto con su hijo en privado. Seleccione un horario en el que no se distraiga ni se interrumpa. Este tiempo a solas hará que su hijo se sienta especial y enfatizará la importancia de lo que tiene que compartir.

2. Pregúntele a su hija: *"¿Puedes decirme la regla de seguridad para cruzar la calle?"* o *"¿Cuál es la regla de seguridad sobre los cerillos?"* Escuche las respuestas.

3. Hágale saber a su hija que hay diferentes tipos de contactos. Algunos contactos están "bien" y algunos "no están bien". Comente los tipos de contacto correctos con su hija: un apretón de manos, palmadas en la espalda, un abrazo breve, "dame esos cinco", un beso en la mejilla. Haga de este un ejercicio divertido actuando con su hija los contactos correctos. Hágale saber que los contactos correctos son amables y respetuosos. Los "buenos" contactos no nos hacen sentir avergonzados, asustados o inseguros. Los contactos correctos se pueden hacer en público, y todos pueden saberlo.

4. Pregúntele a su hija qué tipo de contacto no le gusta. Escuche las respuestas. (Puede haber un

contacto correcto que a su hija no le guste, como las cosquillas; tenga esto en cuenta y muéstrele respeto no tocándola de esa manera). Luego explíquele que los contactos incorrectos incluyen golpear, patear, arañar, pellizcar o abofetear. Comente por qué estos tipos de contactos no son respetuosos y nos hacen sentir inseguros.

5. Pregúntele a su hija qué partes de su cuerpo son privadas; pregúntele los nombres de las partes privadas del género opuesto; escuche, luego afirme o corrija las respuestas de su hija. Dígale: *"Existen reglas de seguridad sobre tocar o mirar las partes privadas. Veamos cuales son las reglas sobre las partes privadas, que te ayudarán a saber qué es lo que 'no está bien'..."*

   No está bien que alguien te muestre sus partes privadas.

   No está bien que alguien toque tus partes privadas.

   No está bien que alguien te muestre sus partes privadas.

   INo está bien tocar las partes privadas de otra persona.

   No está bien que alguien te pida que toques sus partes privadas.

No está bien que alguien te pida que te quites la ropa.

No está bien que alguien te tome fotos o videos estando desnuda.

No está bien que alguien te muestre fotos o videos de personas desnudas".

(Algunas excepciones para propósitos de salud e higiene se detallaron en el Capítulo 5.)

6. Dígale a su hija, *"Todos los adolescentes y adultos conocen estas reglas. Hay muchas personas buenas en el mundo y la mayoría respeta y obedece las reglas de seguridad sobre las partes privadas. Pero si alguna vez alguien rompe una de estas reglas, quiero que digas "¡No!" muy fuerte. Después, aléjate de esa persona tan pronto como puedas; luego ven a mí a contarme de inmediato sobre eso. Yo te voy a ayudar; no tendrás ningún problema por lo que haya pasado, no estarás en problemas por habérmelo dicho; no me enojaré contigo. Sin importar lo que te diga cualquier persona, recuerda que yo te amo y nunca tendrás problemas por decirme si alguien rompe una regla de seguridad sobre las partes privadas".*

7. Dígale a su hija: *"Una persona que te toca de manera incorrecta, podría pedirte que lo*

mantengas en secreto. Pero no es bueno guardar ese secreto. Solo recuerda, cuando estés lejos de esa persona quiero que me digas lo que sucedió. Si alguien te dice que no te voy a creer o que me voy a enojar contigo, no es verdad. Voy a creer en ti y no me enojaré contigo".

8. Repase algunas de las reglas de lo que no es correcto, preguntando: *"¿Qué harías si alguien te pidiera que te quites la ropa?"; "¿Qué harías si alguien te muestra una foto de personas sin ropa?"; "¿Qué harías si alguien te tocara en una de tus partes privadas?"* Haga que su hija practique diciendo *"¡No!"* y que camine o corra, alejándose, en cada situación ficticia. Felicite a su hija por sus reacciones inteligentes. Luego pregúntele: "*Si alguien te dijera que no hables sobre algún contacto incorrecto que haya sucedido, ¿vendrías y me lo contarías?*" Escuche la respuesta de su hija. Si surge la pregunta: *"¿Qué pasa si esa persona dice que me va a pegar?"*, asegúrele a su hija que si siente miedo de la persona, está bien que le diga que no lo va a contar —pero únicamente hasta que llegue a un lugar seguro. Una vez que lo encuentre a usted o a otro adulto de confianza, debe contar lo que sucedió.

9. Repase con su hijo qué adultos son de confianza, y les puede contar algo si usted no está cerca. Señale a mujeres que sean modelo de comportamiento, como una abuela, una tía, una maestra, una enfermera escolar, una vecina de confianza o un oficial de policía (hombre o mujer). Recuérdele a su hija que las reglas de seguridad sobre las partes privadas se aplican a todos los miembros de la familia, a todos los vecinos, amigos, maestros, entrenadores, niñeras y extraños. (Después hablaré sobre los peligros de cuidadores varones y sobre cómo responder si su hijo le revela que ha habido abuso).

10. Permita que su niña haga todas las preguntas que tenga. Escuche atentamente y dé respuestas reflexivas. Termine su charla diciéndole a su niña cuánto la ama. Luego, hagan algo divertido juntos y pasen a otros temas.

Se vuelve natural para los niños escuchar a sus padres instruirlos con las cosas que hay que hacer y las que no hay que hacer en la vida, al hacerlo con respecto a su seguridad personal. Los padres establecen reglas de seguridad en muchas áreas, como: dentro de la casa ("no tires pelotas en la casa"); afuera ("no vayas a las casas de otras personas sin mi permiso"); al viajar en vehículos ("abróchate el cinturón de seguridad"); higiene personal ("lávate las manos antes de comer"). Del mismo modo, la plática sobre los contactos correctos e incorrectos puede ser una conversación simple y directa sobre su seguridad.

Esta conversación no necesita ser larga ni prolongada, sino simple, relajada y con un lenguaje sencillo. ¡No le cuente a su hijo historias de niños secuestrados, abusados, violados o asesinados por un abusador de menores! Solo transmita información que lo eduque y proteja. No hay necesidad de llenar a los niños de miedos innecesarios. El tono de su conversación debe ser cariñoso, seguro e informativo, sin ningún tipo de histeria.

Esta es una actividad que puede hacer con su hijo para ayudarle a comprender que una regla define pertenencia: Salgan y pídale que le indique dónde termina la casa de su familia y dónde comienza la casa del vecino. Muéstrele cómo una cerca u otra división recorre toda su propiedad. Comente que todo lo que está adentro de la división le pertenece a su familia. Todo lo que está afuera de la delimitación le pertenece a otra persona. (Si está en un apartamento, puede usar el muro divisorio entre las unidades como límite). Pregúntele a su hijo qué hace su familia para que su casa y jardín estén bonitos (podar, rastrillar hojas, regar, sacar la basura, etc.) y señale que su familia es responsable y cuida de sus pertenencias y de todo lo que está en su propiedad. El vecino se ocupa de lo que le pertenece a él. Indíquele que la gente debe respetar lo que le pertenece a otra gente. Una manera en la que su familia muestra respeto por los demás es no tirando la basura en el césped de alguien ni tomando cosas que le pertenecen a otro sin pedir permiso. Enséñele a su hijo que queremos que los demás respeten lo que es nuestro y que nosotros respetamos lo que es de ellos.

Hágale saber al niño que todos tienen un límite para sus propios cuerpos; se llama piel. Pídale a su hijo que toque su piel. Dígale: *"Tu piel y todo lo que está dentro de ti es tuyo y lo tienes que cuidar. Nadie debe lastimarte o tocarte de una manera que no esté correcta*". (Repase con su hijo los comportamientos incorrectos en el Punto #5.) Dígale al niño: *"Tienes permiso para gritarle '¡No!' a cualquiera que intente infringir una regla de seguridad tocando o mirando sus partes privadas"*.

Nuestro próximo capítulo tratará de ayudarlo a usted y a su hijo a establecer y mantener límites aceptables que involucren los comportamientos de los demás.

Notas Personales

Notas Personales

Está Bien Decirle "No" a un Adulto

"¡Tú no me mandas!"

Es divertido escuchar este 'himno' tan familiar de la infancia, por lo general declarado con firmeza por un niño desafiante. Cuando un niño pronuncia estas palabras, está enviando una advertencia verbal inequívoca, para decirle a alguien: "¡No tienes derecho a decirme qué hacer!"

Este es el tipo de convicción que los niños deben poseer con respecto a sus cuerpos y la forma en la que los demás los tocan. Los padres pueden comenzar a fomentar este sentido de posesión personal al darles permiso a sus hijos para decir "No" o "No, gracias" a quienes quieren tocarlos de una manera correcta. Esto incluye permitir que los niños se nieguen a darles un abrazo o un beso a miembros mayores de la familia, que tienen buenas intenciones. Nunca es demasiado temprano para enseñarles a los niños a dar la mano.

Durante décadas, mi familia ha sabido exactamente a qué hora llega mi tía Marguerite a una reunión familiar.

La mayoría nos reunimos en la sala familiar o en el patio trasero, ya sea porque estamos conversando, apoyando a nuestro equipo deportivo favorito o disfrutando del aire libre. No importa dónde estemos, cuando vemos que uno de los pequeños corre por la casa con un gran beso pintado de rojo brillante en la mejilla, ¡sabemos que la tía Marguerite ha llegado! Ahora es parte de nuestra tradición familiar. Lo llamamos "la marca de la tía Marguerite".

Es posible que usted tenga un miembro de la familia como mi tía Marguerite. Exuberante, cariñoso, expresivo. Pareciera que no hay escapatoria para el abrazo, el beso, las cosquillas o las caricias en el cabello. Aunque ese contacto es bien intencionado e inocente, los niños pueden sentirse incómodos al tener que someterse a recibirlo. Un chiquillo cansado o quisquilloso podría alejarse y decir: "¡No quiero!" O incluso responder con "¡No me caes bien!". Los padres, avergonzados de tal comportamiento, a menudo responden persuadiendo a su hijo: "¡Ah!, abraza a la abuela". Algunos padres presionan con un ultimátum: "Si no le das un beso al abuelo, esta noche no tendrás postre". También podrían apelar a la culpa: "El tío John es tan bueno, ha sido tan amable contigo y ni siquiera le das un abrazo; qué vergüenza".

Pero ¿qué es lo que pasa? Los padres están obligando al niño a actuar. El mensaje que se le envía, en esencia, es: "Incluso si no quieres que te toquen, debes hacerlo, o no estaré contento contigo". Esta conclusión paterna puede resultar confusa para un niño al que se le ha enseñado que su cuerpo es suyo y que nadie debe tocarlo de una manera que lo haga sentir incómodo.

Así que, ¿qué tiene que hacer el padre?

Los niños pequeños necesitan ejemplos que sean consistentes con las instrucciones que se les han dado. El deseo de un niño de no ser tocado debe respetarse, incluso si ese contacto se realiza en un contexto inocente. ¿Por qué? Porque el niño que se niega a ser tocado de una manera en particular, o en ese momento en particular, establece un límite con la otra persona, un límite que tiene que ver con su cuerpo. ¡Queremos que nuestros hijos se sientan seguros al hacer esto!

Yo no siempre he respetado el espacio personal de los niños. Como la amorosa tía de 25 sobrinos maravillosos que soy, no puedo dejar de abrazarlos, besarlos y hacerles cariños cuando los visito. ¡La mayoría del tiempo se tragan este cariño!, pero hay momentos en los que al pedirles un abrazo o un beso obtengo una negativa rotunda. Hace años, respondía a tales desaires abrazándolos y besándolos de todos modos; me imponía sobre ellos, superando sus objeciones. No me daba cuenta en ese momento, pero eso era muy egoísta de mi parte. Estaba más preocupada por satisfacer mi necesidad de afecto que por respetar el espacio personal de los pequeños. Para ser honesta, mi actitud como tía era autoritaria.

Mi perspectiva cambió cuando comencé a investigar crímenes contra niños. Vi cómo los abusadores no tenían respeto por la humanidad de los niños; el abusador quería lo que quería... y nada más importaba. La dignidad humana de los niños no era respetada; los niños eran solo un medio para un fin sexual y auto gratificante. El control a través de la manipulación o la dominación era un tema repetitivo en el abuso. A las víctimas infantiles se les decía qué hacer y cómo hacerlo, y las objeciones a menudo se encontraban con amenazas de represalias. Debido al miedo, la culpa y la vergüenza, o en un sentido de desesperanza, los niños guardaban silencio sobre el "secreto".

Cuando escuchaba las historias de abuso infantil, la "tía" que hay en mí, quería tomarlos y abrazarlos fuertemente. Quería secar sus lágrimas y mecerlos en mis brazos en actitud delicada y protectora. Quería calmar sus temores con la seguridad de que las cosas mejorarían, pero no podía hacer ninguna de esas cosas. ¿Por qué? Porque sus cuerpecitos habían sido violados. No quería meterme en su espacio personal y tener contacto físico de manera tajante. En lugar de eso, durante el tiempo en que estábamos juntos les pedía permiso antes de hacer algo, o les daba opciones entre las que podían elegir.

"*Gracias por venir a verme. ¿Te gustaría sentarte en esta silla?" decía. Si el niño era pequeño y necesitaba ayuda, le preguntaba: "¿Quieres que te ayude a subir a la silla? ¿O quieres hacerlo tú mismo?*" Cuando un niño quería hacerlo de forma independiente, esperaba que lo hiciera o, si cambiaba de opinión y me lo pedía, yo lo ayudaba. "*¿Está bien si pongo tu abrigo aquí mientras hablamos?*" Al permitir que el niño decida qué hacer con su cuerpo y sus pertenencias, podía experimentar una sensación de control en el entorno desconocido de la sala de entrevistas. El chico también podía ver que lo que él o ella decía era importante para mí. Este intercambio paciente y cortés optimizaba la posibilidad de una mayor comunicación más tarde, cuando comentáramos lo que sucedió en su vida.

Mientras yo observaba mis propias interacciones con mi familia, me di cuenta de que quería que mis sobrinos se sintieran empoderados para establecer límites también con los demás. La mejor manera de hacerlo fue modelar mi aceptación y respeto hacia sus sentimientos. Empecé por preguntarles si podía abrazarlos; si decían "no", yo respondía: "*Está bien, tal vez quieras más tarde*". Entonces sonreía y cambiaba de tema; incluso si se portaban mal en ese momento, yo les daba la misma respuesta, a veces agregando un "*Te amo*".

No estoy sugiriendo que los niños deben gobernar la casa con sus emociones. Obviamente, un niño que se niega a ir a la cama porque no tiene ganas de dormir necesita comprender que hay ciertas reglas que deben obedecerse; pero siempre que sea posible, dele a su hijo la opción de tomar una decisión y expresar su opinión. Luego, muestre respeto por esa decisión. Muy a menudo, simplemente les damos instrucciones a los niños: "Hagan esto... hagan lo otro". Se genera una mayor confianza cuando el niño sabe que lo que él dice es importante. Conviene que los chicos también tengan esa confianza en caso de que necesiten decirle "no" a un adolescente o adulto que los está tocando en donde no deben, o que les esté mostrando algo que no es apropiado.

Se debe tener precaución y sensibilidad cuando busca que su hijo actúe. Con la llegada de los teléfonos inteligentes, Facebook, YouTube, FaceTime, Google+ y Skype, las oportunidades para que su hijo actúe ante los demás están al alcance de la mano. Los padres pueden llenarse de orgullo cuando su pequeño ha aprendido una nueva canción o dominado alguna habilidad. Si su hijo realmente disfruta de eso, ¡genial! Pero si no coopera, no se enoje, no lo obligue ni lo avergüence para que haga lo que usted quiere. Espere un mejor momento, tal vez después de una siesta o después de comer, antes de pedirle a su hijo que repita su logro más reciente.

Puede entrenar a su hijo para que le exprese un "no" de forma educada a cualquier miembro de la familia o amigo cuyo contacto físico él no desee. Hágale saber a sus hijos que si no tienen ganas de responder al afecto o al juego de alguien, pueden decir: "No, gracias, en este momento no tengo ganas de abrazarte" o "no, gracias, no me gusta que me hagan cosquillas". Si se producen momentos incómodos o alguien se ofende, ayúdele a la persona a comprender que usted está entrenando a su hijo para poner límites. Diga: "Le estamos enseñando a Sarah a que les diga a las personas cuando no quiere que la toquen". Esto hace que los demás se den cuenta de que usted y su hijo tienen conversaciones abiertas y honestas sobre el tema del contacto incómodo o inapropiado. Si alguien tuviera malas intenciones hacia su hijo, lo pensaría dos veces antes de cruzar esos límites.

Si usted respalda a su hijo en sus límites, estará dándole validez a la instrucción previa que le dio: "Está bien decir 'no' al contacto no deseado, incluso de un adulto que conoces". Su apoyo les ayudará a sus hijos a tener más confianza para rechazar cualquier contacto incorrecto por parte de alguien que ellos conocen.

Enseñarle a su hijo que está bien decirle "no" a una persona mayor también se aplica cuando experimenta un miedo instintivo. Los sentimientos de "alerta roja" deben ser atendidos; dígale a su hijo que si se siente asustado, confundido o molesto por algo que está sucediendo, está bien decirle "no" a la persona involucrada.

Consideremos las situaciones con las niñeras.

La mayoría de los niños quieren ser "grandes" e independientes. Si su hijo tiene la edad suficiente para cuidar su propia higiene, no necesita la ayuda de una niñera. Su hijo puede sentirse incómodo si alguien trata de tocarlo. Él debe saber que está bien decirle a la niñera: "No. Puedo hacerlo por mí mismo". Esto también se aplica a cambiarse un traje de baño, ponerse un pijama o tomar una ducha.

Si el niño puede, debe aplicarse él mismo medicina en sus partes privadas si la necesita (por ejemplo, por una irritación); o usted debe hacerlo, pero no deje que lo haga una niñera. Dígale a su hijo que si la niñera intenta ayudarlo con esto, debe decirle con firmeza: "No. Si necesito ayuda, se la pediré a mi mamá". Por supuesto, es muy importante que también usted le explique esto a la niñera.

Para ayudarle al pequeño a reconocer cuando algo anda mal, cuéntele a la niñera, delante de su hijo, cuáles son sus reglas. Las reglas pueden incluir el uso de la televisión o de la computadora; personas que no tienen permitido venir a casa; llamadas por teléfono, etc. Que la niñera sepa que ha conversado con su hijo acerca de los contactos incorrectos, y sobre la regla de no tener secretos. Pregúntele a la niñera si ella entiende todo lo que le ha dicho. Luego, sin 'atacar' con preguntas a su hijo, pregúntele cómo le fue con la niñera.

Otro ejemplo: un vecino amigo sugiere jugar el juego "Verdad o Penitencia".

No me gustan de este tipo de juegos porque deja demasiadas oportunidades para que un niño mayor domine a uno más pequeño. Si su hijo ha disfrutado jugándolo, será útil revisar las siguientes cosas que el niño puede hacer y a cuáles debe decir "no":

- Si un desafío implica ir a un lugar oculto con alguien (como un armario o dormitorio), está bien decir "no".
- Si el desafío es comer o beber algo, está bien decir "no".
- Si el desafío tiene que ver con besarse, está bien decir "no".
- Si algún desafío te hace sentir incómodo, nervioso o avergonzado, es importante prestar atención a tus sentimientos. Está bien decir "no".
- Si el desafío consiste en quitarse la ropa, siempre di "no" porque esa es una regla incorrecta.
- Si dices "no" a un desafío y tienes una sensación de desagrado o asco sobre el juego, es posible que no sea seguro. Es hora de volver a casa y hablar de ello con un adulto.

Una palabra clave para señalar problemas

Algunas familias usan una palabra o frase clave que solo los padres y el niño conocen. Si el niño está fuera de casa y tiene miedo o necesita ayuda, puede llamar al padre y usar la palabra clave. Esta palabra o frase debe ser única para que el padre no deje de reconocerla. No debe ser una palabra clave que les advierta a otras personas que puedan estar oyendo la conversación del niño. Los padres deben ir de inmediato a la ubicación donde está el chico.

Mi hermano, Tom, les enseñó a sus hijas gemelas que, sin importar dónde estuvieran, si algo sucedía que las hiciera sentir incómodas, asustadas o si sabían que no era correcto, debían llamarlo de inmediato. Tom les explicó muy claro: debían llamarlo a cualquier hora, ya fuera día o noche, y con solo decir: "Papá, ven por nosotros", él se pondría en marcha.

Un fin de semana, las chicas de Tom fueron a una pijamada con sus amigas de séptimo grado. Fue divertido hasta que los padres anfitriones subieron a dormir. Alrededor de la medianoche, la niña de la casa decidió entrar a un chat en línea. A mis sobrinas les habían enseñado los peligros de las salas de chat. Mientras sus amigas bromeaban con el misterioso hombre que les hablaba en línea, la conversación de la sala de chat se volvió sexual. Mis sobrinas sintieron esa sensación de malestar que nos advierte del peligro, y les dijeron a sus amigas que debían cerrar la conversación porque el tipo daba miedo y parecía peligroso. Pero sus compañeras descartaron sus preocupaciones, incluso las ridiculizaron.

El teléfono de Tom lo despertó de su sueño profundo. "Papá, ven a buscarnos". En 15 minutos, Tom se estaba estacionando frente a la casa. Ambas chicas salieron, llevando su ropa de la pijamada. En el camino a casa, le explicaron a su papá lo que había sucedido. Tom no podía haber estado más orgulloso de sus hijas. Prestaron atención a esa incomodidad instintiva, reconocieron la situación de inseguridad y tomaron la decisión correcta para ponerse a salvo. Las chicas también vieron cuánto las amaba su papá, quien demostró que cumplía su palabra y estuvo allí cuando lo necesitaron, sin hacer preguntas.

Todos los padres pueden inculcar una confianza similar en sus hijos. Se comienza a temprana edad, con conversaciones de padre a hijo, de corazón a corazón; el reconocimiento del valor de las personas; prácticas que demuestran respeto dentro del hogar; la enseñanza de los límites apropiados; el entrenamiento para manejar situaciones difíciles; y el apoyo siempre presente y amoroso de un padre cercano.

Los niños que reciben de sus padres este tipo de participación activa serán menos vulnerables a los peligros que puedan acechar alrededor... peligros que los padres a menudo no ven.

Contraseña de Protección

Los padres pueden mantener una contraseña en las computadoras y tablets de su casa para que los niños y adolescentes que lleguen no puedan usarlos sin el permiso de los padres.

Notas Personales

Notas Personales

Dónde Acechan los Peligros

¿Qué tipo de persona abusa sexualmente de un niño?

Muchas personas concluyen que estos perpetradores "deben estar enfermos" o "deben estar locos". Sin embargo, la mayoría de los abusadores de menores no están ni enfermos ni locos. Nadie los obliga a ofender. Ellos saben que sus comportamientos son moralmente incorrectos, ilegales y punibles. Sin embargo, todavía eligen hacerlo. ¿Por qué? Porque esto satisface una necesidad egoísta.

Los términos "abusador de menores" y "pedófilo" parecen intercambiables para la mayoría de las personas. Esto es comprensible, pero hay diferencias. En pocas palabras, un abusador de menores es cualquiera que tenga contacto sexual con un niño, independientemente de si el niño está dispuesto o no. Un abusador de menores puede ser adolescente o adulto. Un abusador de menores puede ser hombre o mujer. Se pueden encontrar abusadores de menores en todas las razas, religiones y grupos socioeconómicos. Ellos pueden trabajar en cualquier profesión.

Entre los abusadores de menores que he detenido se encuentran niñeras, trabajadores de guarderías, entrenadores, terapeutas, pastores, maestros, y hasta policías.

Los pedófilos son una categoría especifica de abusadores de menores. Los pedófilos cumplen con cierto criterio de diagnóstico psicológico. Para ser diagnosticado con pedofilia, la Asociación Americana de Psiquiatría en el Manual Diagnóstico y Estadístico de los Trastornos Mentales (DSM-V por sus siglas en inglés) declara que una persona debe:

- excitarse sexualmente, tener fantasías sexuales o estar involucrado en comportamiento sexual con un niño o preadolescente durante por lo menos seis meses;
- tener por lo menos 16 años, y
- ser por lo menos cinco años mayor que el niño o los niños que lo atraen.

Los deseos sexuales de los pedófilos se centran en niños y no en adultos. Cualquier pedófilo que lleva a cabo sus deseos sexuales se convierte en abusador de menores. Aunque está categorizada como una enfermedad mental, los pedófilos no están locos. De hecho, es lo contrario: son listos y astutos.

Los abusadores de menores, que no cumplen con el perfil de pedófilos, abusarán de los niños por múltiples razones. Para obtener una mejor comprensión de los abusadores de menores, veamos brevemente dos categorías desarrolladas por el Dr. Park Dietz, un psiquiatra forense. El Dr. Dietz dividió a los delincuentes sexuales en dos amplias categorías de situación y preferencia. (Dietz, P. E. Sex Offenses: Behavioral Aspects. 1983)

Abusadores Circunstanciales de Menores

Los abusadores circunstanciales de menores no prefieren a los niños como parejas sexuales. Tienen contacto sexual con niños por una variedad de razones.

- Aburrimiento
- Curiosidad
- Respuesta a una situación estresante
- Falta de empatía o de límites morales
- Sustitución por una pareja sexual
- Baja autoestima o inadaptabilidad social
- Enojo
- La simple disponibilidad de un niño.

Aunque los abusadores de menores situacionales tienden a ser impulsivos, sí consideran los riesgos antes de actuar. Están conscientes de que sus acciones son incorrectas y criminales. Los abusadores situacionales generalmente tienen una o pocas víctimas.

Cuando hablo con grupos de padres u otros cuidadores, generalmente preguntan sobre la selección de niñeras. Siempre les doy este consejo: si es posible, eviten tener a un adolescente masculino para cuidar a los niños. Esto genera un estruendo de respuestas: "No conoces al chico que cuida a mis hijos, es maravilloso y mis hijos lo aman"; "Mi hijo cuida niños y confío en el completamente"; "Realmente depende de quién es el niño, ¿no es así?"; "Mi cuidador adolescente proviene de buena familia."

Hablo sin rodeos sobre los peligros que implica darle autoridad sobre niños pequeños a un chico adolescente con las hormonas revueltas. Por repugnante que parezca, hay un riesgo latente de tentación de experimentar con sexo cuando el niñero está bañando al niño, lo ve desnudo o cambia un pañal. También existe la posibilidad de que el adolescente use al niño para estimularse, haciendo que el pequeño se siente en su regazo, que rebote arriba y abajo, que juegue a "encuentra lo que hay en mi bolsillo", o algún otro jueguito sensual.

¿Estoy diciendo que todos los chicos adolescentes tienen un motivo oculto para tocar sexualmente a los niños que están cuidando? ¡No, en lo absoluto! ¿Estoy diciendo que es injusto colocar a un chico adolescente en una posición en la que puede sentirse atraído por su propia curiosidad o por el deseo de violar a un niño? ¡Sí! ¡No vale la pena el riesgo! No es justo para el niño que podría convertirse en una víctima, y tampoco es justo para el adolescente, que, si actúa incorrectamente en esta situación, podría seguir abusando. Aunque el chico que está cuidando a sus hijos se vea bien por fuera, no es posible saber si ha estado llenado su cabeza con imágenes pornográficas y solo necesita la oportunidad de actuar conforme a su curiosidad o deseo. ¿Recuerda a Kenny, de doce años? Creo que es una opción más segura tener a una respetable niñera para su hijo que contratar a un varón.

Le comparto, de entre mis casos, el siguiente ejemplo de un abusador circunstancial; también servirá como ilustración de cómo un niño victimizado puede ser muy reacio a contar su secreto.

Ámbar tenía ocho años y era extremadamente reservada. Cuando le pregunté si estaba de acuerdo en decirme la verdad durante nuestra conversación, ella respondió, "No." Dejó muy claro que no quería hablar de "lo que hizo mi papá". Los niños que son reacios a hablar invariablemente tienen un miedo profundamente arraigado. Se necesita paciencia, y algo de exploración, para descubrir qué tipo de miedo está impidiendo la comunicación del niño.

Para abordar este tema tabú de la mejor manera, le dije a Ámbar que no era necesario que me dijera qué hacía su papá "en este momento". Le pregunté si, en lugar de eso, podría decirme dónde estaba ella cuando "tu papá hizo lo que hizo". Esto le trajo alivio inmediato porque quitó de la mesa el tema prohibido. Ámbar podría contarme dónde sucedió, pero todavía guardar su secreto. Se necesitaron varias preguntas discretas para recoger suficientes detalles y lograr finalmente una imagen precisa de lo que había ocurrido en el momento del abuso – sin mencionar el abuso en sí.

Cuando se sintió más cómoda, Ámbar dijo que su padre luchó con ella en la tienda de campaña cuando estaban acampando, pero que no le gustó dónde la tocó. Finalmente, reveló que había tocado su área vaginal (por encima de la ropa) en tres ocasiones y en lugares diferentes: durante el viaje de campamento, en su habitación y en el sofá de la sala.

Observé algunas dinámicas familiares preocupantes el día que entrevisté a Ámbar y a su mamá, que me dieron una idea sobre el modo de ser de su padre y por qué Ámbar tenía tanto miedo de hablar. Durante mi entrevista con Ámbar, y luego con su madre, el padre llamó repetidas veces al celular de su esposa con el objetivo de obtener información sobre mi investigación. La madre se veía aturdida y visiblemente nerviosa cada vez que sonaba su celular. Finalmente, hablé con él por el teléfono; me explicó que solo estaba asegurándose de que su esposa estuviera bien. Le dije que ella estaba bien, que estábamos ocupadas, y que dejara de llamar. Me respondió que sí, pero unos minutos más tarde volvió a llamar, acosando a su esposa para obtener más información. Hablé con él una segunda vez y le aconsejé que no interfiriera; le dije que hablaría con él al día siguiente, entonces respondería todas sus preguntas.

Era un tipo extremadamente controlador. No respetaba los límites de los demás; lo estaba volviendo loco no ser el que dirigía el asunto (la investigación); insistía en saber lo que informaron su esposa y su hija. ¡No es de extrañar que ambas le tuvieran miedo!

Entrar en la mente de un abusador de menores es algo que todo detective debe hacer con eficiencia para poder relacionarse efectivamente con el perpetuador en un interrogatorio. Utilizo el término "relacionarse" en vez de "confrontar" porque describe mejor mi enfoque. Después de cientos de entrevistas con sospechosos, puedo decir con confianza que nunca he golpeado una mesa, gritado, maldecido o amenazado a un sospechoso. Al contrario de lo que muestran las películas y los programas de televisión, los detectives atrapan más moscas con miel que con vinagre. He tenido mucho éxito obteniendo confesiones porque asumo el papel de "amigo comprensivo" para el perpetuador.

Cuando entrevisté al padre de Ámbar al día siguiente, él negó rotundamente las acusaciones de contacto sexual. Así que asumí el papel de "mejor amigo del abusador". Pronto empezó a bajar la guardia. Me contó lo frustrado que estaba con su trabajo, lo mal que estaban los mercados financieros, que su esposa estaba muy ocupada trabajando como para tener relaciones con él, que ella pasaba más tiempo con su hija que con él, y que los problemas de comportamiento de su hija eran cada vez más difíciles. Enfatizó que su hija de repente "saltaba sobre él" cuando quería jugar.

Era evidente que el mundo de este maniático controlador se le había salido de control, y abusar de su hija era su manera de afirmar su dominio. También pudo haberle servido como venganza hacia su esposa por su falta de intimidad sexual con él. Este hombre era un abusador situacional; su verdadero interés sexual era hacia su esposa, pero usaba a su hija como sustituto. Estaba enfadado y ella estaba disponible. Con una niña podía afirmar el control que no estaba experimentando en otras áreas de su vida.

Ahora que sus acciones salieron a luz, su mayor necesidad era tener control sobre su imagen de buen esposo y padre, y así eludir cualquier sospecha de comportamiento criminal. Eso me dio la idea de enfatizar cómo "el estrés puede hacer que una persona haga cosas que normalmente no haría". Le hablé de cómo las preocupaciones de su esposa por otras cosas hacían que ella lo dejara solo y sexualmente frustrado; de cómo la economía era brutal e injusta; de lo dominante que era su hija por ser tan físicamente juguetona. ¿Podría ser, sugerí, que durante el juego físico de su hija, él simplemente tuvo un "lapso en su juicio" y tocó sus partes privadas? Al enfatizar el aspecto del "estrés", le puse al alcance una excusa aparentemente aceptable de su comportamiento. Con este escenario él podía admitir el contacto físico y afirmar que fue un acto momentáneo "ajeno a su carácter", y de esta manera, aún podría mantener su fachada de buen padre y esposo.

Le puse enfrente la excusa y él se aferró a ella; admitió haber tocado su área vaginal (por encima de la ropa), e incluso citó los mismos tres incidentes y lugares de los que me habló la niña. Él creyó que el hecho de que sufría de "estrés" lo exoneraría, pero estaba equivocado. Yo empecé a comentar sobre sus motivos – para quitarle cualquier ilusión de "inocencia" – y él eventualmente admitió haber estado excitado durante estos eventos, lo que confirmó su motivación sexual. Estos no fueron accidentes, fueron agresiones. Cuando le informé que estaba bajo arresto, se indignó y culpó a Ámbar, de ocho años, de sus acciones: "¡Ella coqueteaba conmigo!, ¡todas las veces!, ¡díselo a la fiscalía!" Sabiendo cuán condenatorias serían esas palabas, le contesté: "Oh, haré algo mejor que eso, citaré tus palabras en mi reporte".

Permítanme dejar esto muy claro: sin importar qué tipo de estrés hay en la vida de alguien, sin importar la situación, nada puede excusar o justificar el tocar sexualmente a un niño. Nada.

Abusadores de Menores por Preferencia

La segunda categoría del Dr. Dietz es la de los abusadores de menores por preferencia. Estos son los pedófilos de los que ya hablamos anteriormente. Son personas que prefieren las relaciones sexuales con niños y no con adultos. Ponen en acción sus fantasías sexuales de niños preadolescentes. Un abusador de menores por preferencia podría tener inclinación por niños y no por niñas, o viceversa, o simplemente puede preferir niños, independientemente de su género. Este tipo de abusador victimiza a una gran cantidad de niños.

Los pedófilos tienen mucho éxito en el abuso porque son expertos en no ser atrapados; hacen todo lo posible para desviar cualquier posible sospecha. Los abusadores de menores por preferencia han aprendido a salirse con la suya con sus atroces crímenes mediante habilidad y astucia, planificación cuidadosa, y un exterior muy practicado. Todo esto lo usan para camuflar sus intenciones. ¡Su habilidad para seducir a los niños y engañar a los padres para que confíen en ellos es asombrosa!

Dos niños me revelaron que su padrastro había abusado sexualmente de ellos durante mucho tiempo. Más tarde, cuando entrevisté a su madre, le pregunté sobre la naturaleza de su relación íntima con su esposo. Le expliqué que no estaba tratando de ser intrusiva o voyerista, o avergonzarla. Le dije que cuando las acusaciones son de naturaleza sexual, es útil comprender la naturaleza general de la relación sexual de los padres. Era importante para mí considerar cualquier posible exposición que los niños pudieran haber tenido a la información sexual.

Esta mujer tenía una mirada de desconcierto en su rostro cuando contestaba. Me explicó que cuando estaban comprometidos, tenían una relación sexual activa; ella pensaba que era "muy normal". Sin embargo, poco después de casados él perdió el interés por las relaciones sexuales. Un cambio tan dramático fue desconcertante para ella; le molestaba tanto que sugirió que fueran a terapia de parejas para que los ayudaran a restaurar su intimidad sexual. Fueron, pero la terapia no ayudó.

La explicación de lo que la tenía tan desconcertada ahora se hacía clara para mí. Asumir el papel de adulto heterosexual saludable servía para desviar cualquier sospecha de sus verdaderos motivos. Su esposo la había cortejado y se había casado con ella por una razón: para obtener acceso sexual ilimitado a sus hijos. Él era un pedófilo... un abusador preferencial de niños.

Este tipo de abusadores de menores busca establecer reputaciones creíbles con adultos. Al participar activamente en actividades dirigidas a los niños, se empieza a desarrollar dicha reputación. Se hace querer por ambos, tanto por el niño como por el padre. Un entorno con muchos niños le proporciona al pedófilo una mayor oportunidad de seleccionar y seducir a sus víctimas.

Para los padres es más fácil confiar en alguien con quien su hijo ha pasado un rato agradable; es probable que los padres aprecien o admiren a las personas que se relacionan de forma cariñosa con los niños. La personalidad agradable y la buena reputación pueden serles de gran ayuda para ganarse la confianza de los padres. Una vez que exista familiaridad y comodidad con el vecino, un familiar, un amigo, la maestra, el entrenador, o un líder de grupo, la vigilancia puede parecer menos necesaria; sin embargo, es en este tipo de relaciones donde se necesita una mayor vigilancia.

La Mayoría de los Abusadores Sexuales No son Extraños El 93% de los niños víctimas de abuso sexual conocen a sus abusadores.

(Douglas, Emily and D. Finkelhor, Crimes Against Children Research Center, May 2005)

Los que están más cerca de nosotros son los que tienen mayor acceso a nuestros hijos. El hecho de que una persona comparta nuestra sangre, creencias, actividades, o intereses, no significa que esa persona comparta nuestros valores y convicciones. El vagabundo que acosa por los callejones no debería ser su mayor preocupación. ¿Por qué? ¡Porque usted no dejaría que su hijo pase el rato en un callejón con un extraño con aspecto de vagabundo! Lo que sí haría, sin embargo, es permitir que su hijo conozca a las personas que usted conoce y en las que confía, en lugares que considera seguros.

Cuando yo era nueva como oficial de patrulla, me tocó entrevistar a mi primera víctima de agresión sexual infantil. Conocí a una niña de 15 años y a su madre en Servicios Sociales (mi agencia no tenía en ese momento una Unidad de Crímenes Contra Niños, ni había un Centro de Defensa de Niños disponible.) La joven adolescente me contó sobre el abuso sexual que había sufrido por parte de su padre; había durado tanto tiempo que no podía recordar cuándo comenzó. Ella describió varios actos sexuales en una voz casi monótona; lo que yo imaginaba como experiencias horribles fue narrado por esta niña como si fueran cosas cotidianas y comunes. Yo no dudaba de que ella estaba diciendo la verdad, pero su falta de emoción me dejó perpleja.

Cuidadosamente hice una pregunta que resultó increíblemente reveladora: *"¿Alguna vez le dijiste a tu padre que no querías participas en las cosas que él quería que hicieras?; si fue así, ¿cuál fue su respuesta?"* ¡Esta niña, que al contar esos horrores se había quedado allí inmóvil, de repente rompió a llorar! "¡Sí! ¡Sí! ¡Él me rechazó!, ¡me rechazó!" respondió, llorando y jadeando. "¡Dijo que ya no me amaría más!, ¡dijo que ya no me amaría más!"

Mientras ella sollozaba incontrolablemente, le di algunos pañuelos desechables y me senté en silencio. Finalmente entendí el núcleo de su angustia. Este despreciable padre la había manipulado durante años usando el rechazo como herramienta. Ella lo amaba y él lo sabía; usó su necesidad de amor de padre como arma contra ella, la amenazó con rechazarla y no darle su amor si ella no cumplía con sus deseos sexuales. Al final de la entrevista, en lo único en lo que yo podía pensar era en alejar a esa pobre niña de este hombre malvado.

Algunas veces, cuanto más largo es el período de abuso, más amortiguado se vuelve el afecto del niño. El miedo a la pérdida puede hacer que el niño guarde silencio durante años. Los niños que son víctimas de abuso sexual no tienen una respuesta "típica". Las respuestas pueden variar ampliamente y por una variedad de razones.

Unas horas después, yo estaba en la División de Investigaciones cuando el padre llegó para hablar con los detectives. Recuerdo haberlo pensado dos veces; este individuo repugnante y vil estaba allí, muy bien vestido, con un trato amable y cortés, luciendo tan poco amenazador como mi propio abuelo. Esperaba a un tipo con aspecto de vagabundo, pero era una persona sencilla, parecida al Sr. Rogers, de la serie infantil "La vecindad del Señor Rogers". Ese día me fui a casa perturbada por mi propia ingenuidad. Recuerdo haber dicho en voz alta: "¿Cómo voy a saber quiénes son los malos?"

Probablemente usted también se ha sentido así, incluso mientras lee este libro, y se pregunta: "¿Cómo puedo saber qué personas son confiables para que mi hijo esté cerca de ellas?" Es posible que los padres no siempre reconozcan un libro por su cubierta, pero pueden informarse sobre los comportamientos que señalan problemas.

Ahora que usted sabe más acerca de los tipos de abusadores de niños, echemos un vistazo más de cerca para conocer cómo operan y cómo pueden los padres contrarrestar los objetivos de un abusador.

Verificar los Registros de Abusadores Sexuales

Cualquier persona puede acceder a los registros locales y nacionales de delincuentes sexuales. Averigüe quién podría representar una amenaza para su hijo en el vecindario y adviértale al niño que evite a esa persona y su casa. Tenga en cuenta que esos registros no enumeran a todos los delincuentes. Es posible que en algunos no se incluyan delincuentes juveniles ni a quienes tienen condenas por delitos sexuales menores.

Visite el Registro Nacional de Delincuentes Sexuales: www.nsopw.gov o comuníquese con la oficina de su policía local.

No piense que una persona es segura solo porque su nombre no está en el registro

Notas Personales

Establecer un Vínculo Emocional: Explotación de la Vulnerabilidad del Niño

Algunos niños son bastante verbales. Los padres pueden asumir erróneamente que, debido a que su hijo se expresa fácilmente en forma verbal, siempre sabrán lo que está sucediendo en la mente y la vida de ellos. Esto puede ser cierto la mayoría del tiempo, pero cuando se trata de ser tocado sexualmente, incluso el niño más verbal puede callar.

La mayoría de los padres piensan que pueden interpretar los estados de ánimo de sus hijos y saber si algo les molesta. En algunos casos, los padres me han dicho que estaban seguros de que no había pasado nada con su hijo porque "yo habría visto algo" o "mi hijo me hubiese contado".

Cuando se trata de abusos sexuales, muchas víctimas infantiles no cuentan ni presentan los tipos de respuestas que podríamos pensar que son "normales". En lugar de gritar, un niño podría paralizarse por miedo. En lugar de pedir ayuda, un niño podría no revelar la victimización debido a las amenazas. Un niño podría elegir no divulgar el abuso porque el abusador lo está sobornando con regalos. El tipo de relación que tiene un niño con el abusador depende mucho de si el niño habla. Si el abusador es una persona a la que el niño ama, es posible que él no quiera que esa persona tenga problemas o vaya a la cárcel. Un abusador puede convencer a la víctima de que ambos se meterán en problemas si los padres del niño descubren lo que han estado haciendo; esta explicación manipuladora del abusador retrata al niño como un compañero dispuesto, y por lo tanto, merecedor del enojo de los padres.

Los abusadores, en particular los pedófilos, establecen un vínculo emocional con sus víctimas infantiles para maximizar sus posibilidades de éxito. Establecer un vínculo emocional con menores significa prepararlos o entrenarlos para un propósito o actividad en particular. Otras palabras que describen esta acción son: preparar, captar, disponer, condicionar, entrenar, capacitar, instruir, ejercitar, enseñar y educar. Es aterrador y enfermizo pensar en que alguna persona seduzca sistemáticamente a un niño con el fin de tener relaciones sexuales, pero eso es lo que hacen mientras establecen un vínculo emocional.

Yo estaba entrenando a un nuevo detective de la Unidad de Crímenes contra Niños cuando la madre de un niño de 13 años llamó para quejarse de que un amigo adulto, Ben, se había comportado de manera inapropiada con su hijo, David. Ellos habían conocido a Ben hacía dos años. Ben era un jubilado, inteligente y aparentemente amable. Estaba en buena forma física, amaba los deportes y tenía una buena reputación como voluntario de rescate en la comunidad. Ben y David solían pasar tiempo juntos en un programa de tutoría. Recientemente, David estaba cada vez más incómodo cuando estaba solo con Ben. David finalmente le confió a su madre que Ben le había puesto la mano en su muslo, frotándolo, mientras llevaba en su auto a David a casa después de un evento deportivo. Esto hizo que David se sintiera muy incómodo.

Entrevistamos a David y determinamos que no había tenido lugar ningún acto criminal. Sin embargo, había muchos indicadores de que Ben podía ser un abusador de menores que estaba estableciendo un vínculo emocional con David, como futura víctima. Analizamos los antecedentes de Ben y descubrimos que diez años antes había sido condenado por abusar sexualmente de dos niños, ambos de aproximadamente doce años. Ben cumplió su pena en prisión y completó tres años de tratamiento por abusos sexuales ordenado por la corte; no tenía restricciones con respecto al contacto con menores. El crimen de Ben ocurrió cuando aún no existía un registro de delincuentes sexuales, por lo que su crimen permaneció oculto para el público. Mientras tanto, Ben comenzó a ofrecerse como voluntario en una organización sin fines de lucro, para ser mentor de niños. La madre de David estaba divorciada y la idea de que un hombre le dedicara tiempo a su hijo le pareció muy atractiva.

Ben vino voluntariamente a hablar con nosotros. Cuando le dijimos que el asunto involucraba su relación con David, y que sabíamos de sus delitos previos, fue sorprendentemente abierto; "Soy pedófilo", dijo. Le preguntamos sobre sus interacciones con David; su historia sobre lo que ocurrió en el auto coincidió con la historia de David. Las acciones de Ben fueron extrañas e inapropiadas, pero Ben sabía que no había cruzado la línea criminal.

Todos sabíamos que iba en dirección a eso.

Ben estaba relajado y abierto, así que decidí aprovechar al máximo nuestro tiempo haciéndole preguntas sobre su interés sexual en los niños. Le pregunté cómo iba preparando a los niños, qué tipo de chico le atraía y cómo se ganaba la confianza de los niños y de sus padres. Las respuestas de Ben nos dieron una idea de cómo funcionan los pedófilos.

Nuestra conversación fue grabada con su conocimiento (la utilicé más tarde como herramienta de enseñanza en mi curso de la academia, y para entrenar detectives nuevos en nuestra Unidad de Crímenes contra Niños. Después de todo, no todos los días se encuentra a una persona que admite que es pedófilo).

Establecer un Vínculo Emocional

Los abusadores de menores con frecuencia establecen un vínculo emocional con los niños antes de hacer un avance sexual.

"Establecer un vínculo emocional" sirve para preparar o entrenar a alguien con un propósito o actividad en particular. *

Las personas que cuidan a un niño pequeño encontrarán los siguientes extractos de mi entrevista con Ben inquietantes, pero esclarecedores. La visión que tiene Ben de sí mismo, sus víctimas y sus crímenes refleja actitudes y comportamientos clásicos de los pedófilos.

Las técnicas para establecer un vínculo emocional que usa Ben demuestran lo importante que es la participación de los padres en la reducción de la vulnerabilidad de los niños hacia los abusadores sexuales.

¿Qué hiciste como parte del patrón que usas personalmente para establecer el vínculo emocional?

Ben: *Hacer todo tipo de actividades con el niño. Llevarlo a todos lados. Al chico por el cual me condenaron por abuso sexual, lo conocía desde hacía unos tres años, antes de hacer algún avance hacia él... por supuesto, él tenía un padrastro muy malo, y nunca conoció a su verdadero padre.*

Los abusadores de menores, en particular los pedófilos, reconocen la necesidad inherente que tienen los niños de recibir atención y aprobación de sus padres. Esta necesidad relacional se satisface principalmente cuando pasan tiempo juntos y conversan. Ben estaba dispuesto a llevar a este chico "a todas partes" para establecer una relación con él. Al estar juntos, Ben y el chico tuvieron la oportunidad de hablar, reír y aprender el uno del otro; este tipo de interacción favoreció la conexión y la confianza entre ellos.

La falta de atención y de relación con un padre en la vida de un niño contribuye a su vulnerabilidad. Ben estaba muy consciente de esto, por lo que, al llenar este vacío emocional en la vida del niño, se hizo más importante y más necesitado por él. Con esto, Ben también se ganó el cariño de la madre del chico. Ben fue paciente y esperó su momento mientras se iba ganando al niño y a su madre; esperó hasta sentir que se había forjado un vínculo y que estaba lo suficientemente seguro para hacer su primer avance sexual.

Las víctimas son menos propensas a hablar sobre el contacto sexual si eso significa que podrían perder una relación que satisface una necesidad personal profunda. Los niños que aman a su ofensor pueden optar por guardar silencio – incluso perdonarlo – en lugar de enfrentar un futuro incierto por no tener a esa persona en su vida.

Su hijo necesita que su padre – o una figura paterna – se relacione con él y sea amoroso. Estoy consciente de que no todos los niños tienen un padre en el hogar, y que muchas maravillosas madres solteras hacen un increíble trabajo al criar niños maravillosos. Pero la verdad es que los niños que carecen de un padre involucrado en su crianza tienen una vulnerabilidad que los abusadores buscan explotar. Si es padre, ¡relaciónese con su hijo y conviértase en su héroe! Si es madre soltera, no permita que cualquier hombre entre a la vida de su hijo; busque una persona de carácter y valores morales, con quien su hijo pueda estar en entornos grupales.

¿Cómo te ganaste la confianza de estos chicos?

Ben: *YGanas su confianza haciendo muchas cosas juntos y cumpliendo tu palabra. Si le dices que vas a hacer algo, ¡hazlo! Otra cosa es convencerlos de que no vas a contar nada de lo que hablen entre ustedes dos, que guardarás sus secretos. Que sepa que no lo estoy espiando ni voy a ir corriendo a contarles a sus padres lo que hablamos. Creo que los niños buscan eso.*

Ben sabía que la consistencia, la confiabilidad y el seguimiento de un adulto ayudan a que el niño se sienta amado y más confiado. Todos conocemos historias de niños emocionalmente heridos por un padre o una madre que no cumplió su palabra o que no cumplió su promesa. Ben se aseguró de nunca decepcionar a su futura víctima. Su dedicación y atención tenían un propósito malévolo. Al convencer a sus víctimas de que podían contarle sus más oscuros y profundos secretos, Ben abrió la puerta para tener algo con qué chantajearlos. Ben era el amigo del niño, su confidente, y nunca les diría una palabra a los padres sobre cualquier cosa mala que hiciera (en el caso de David era fumar marihuana). Mantener secretos es una técnica común para establecer el vínculo emocional; en cuanto Ben supo cosas que podrían meter en problemas al niño, tuvo municiones para mantenerlo callado en caso de que el niño amenazara con hablar de las insinuaciones sexuales de Ben.

Lo que los Abusadores de Menores Buscan en la Víctima

- Necesidad emocional
- Aislamiento
- Baja autoestima
- Poca relación active con los padres
- Accesibilidad

Su amor constante y su confiabilidad harán que usted sea la roca sólida en la vida de su hijo. Algunos de los momentos más preciados que puede pasar con sus hijos son cuando en la noche se van a dormir; al acostarlos pregúnteles cómo están, y hablen sobre los eventos del día, u ore con ellos; abra oportunidades para saber lo que está sucediendo en sus corazoncitos y mentes. Permítales compartir libremente su mundo, sus pensamientos, sus miedos y sus tonterías contigo. Demuéstrele a su hijo que lo que él o ella le confíe está seguro, y nunca lo usará para humillarlo o forzarlo. Estas pequeñas charlas nocturnas fomentan la alegría e imprimen recuerdos preciosos que les dicen "mamá y papá estarán allí cuando yo necesite o quiera hablar".

¿Cómo surgió el tema de las relaciones sexuales con David?

Ben: *Él quería saber cómo hacer para tener novia - supongo que esto no implica la idea de sexo - y tal vez tener algo sexual con ella. Le dije que era demasiado joven para eso; le pregunté si había tenido amigos con los que jugara sexualmente y me respondió, "no". Eh... él en realidad se sintió incómodo al hablar de sexo.*

Mientras pasaban tiempo juntos, Ben y David hablaban sobre muchas cosas. Cuando David todavía era niño y se acercaba a pubertad, se interesó en tener novia, y Ben aprovechó al máximo el tema. ¿Se da cuenta de cómo Ben transformó la conversación con David en actos sexuales?

Al retratarse como alguien que velaba por los mejores intereses de David, Ben desalentó a David de cualquier contacto sexual con niñas, diciendo que era "demasiado joven" para esa actividad; sin embargo, Ben no dudó en presentarle a David la idea de experimentar sexualmente con amigos varones. La sugerencia de Ben implicaba que esta era una alternativa aceptable para David. Ben intentó aumentar la curiosidad sexual de David y lo hizo con la clara intención de capitalizarlo a su favor. Ben con mucho gusto estaba dispuesto a ser el tutor de David y "ayudarlo" a navegar en este nuevo mundo de las relaciones sexuales. Ben había usado este modus operandi antes; afortunadamente para David, él estaba tan incómodo con el tema de las relaciones sexuales que Ben no presionó el asunto. Al prestarle atención a sus sentimientos incómodos, David optó por hablar con su madre y eso evitó que se convirtiera en una víctima.

¿Qué tipo de niños te atraen?

Ben: *Somos realmente buenos para establecer el vínculo emocional con un niño. En el caso de muchos pedófilos y personas que abusan de los niños, es cosa de una o dos veces con un niño, y eso es todo. Pero para mí, es un largo proceso de ir estableciendo un vínculo emocional. Probablemente sea el físico de un niño, quiero decir, si son más pequeños y más vulnerables... siento atracción por los hombres jóvenes. No debería haber llegado a tener amistad con ellos; en ese momento mis motivos eran puros, seguro; puede ser muy beneficioso para un chico joven tener una relación, especialmente si no tienen la mejor relación con sus padres.*

Es interesante cómo Ben separa dos grupos: "pedófilos" y "personas que abusan de niños"... como si los pedófilos no abusaran de niños. Este es un pensamiento típico de los pedófilos. Un pedófilo dirá que "ama" a los niños, no que "abusa" de ellos. Ben se separa de aquellos que abusan de niños y rápidamente se alejan de ellos; se ve incómodo con la palabra abusar, así que se refiere a ella como "es cosa de una o dos veces con un niño". Ben se enorgullece del hecho de que le gusta establecer el vínculo emocional con un niño a lo largo de mucho tiempo.

Los niños que Ben quiere seducir tienen un aspecto determinado – varones preadolescentes, pequeños y vulnerables. Ben admite que debería haber evitado tener "amistad" con los niños, pero luego justifica rápidamente que la relación tiene un gran valor para el niño. Ben cree que los niños con los que establece un vínculo emocional se "benefician" de sus "motivos puros". Sostiene que les está proporcionando lo que les falta en su vida hogareña y sus relaciones con los padres... lamentablemente, probablemente tenga razón. Sin embargo, Ben tiene intenciones ocultas y unos deseos que no son nada puros.

¿Cómo progresa la relación?

Ben: *Me da emoción, y no es realmente excitación sexual, sino lo que llamo 'la persecución' – seducirlo – eso es lo que disfruto. Un día un niño comenzó a hablar de sexo sin parar, así que solo le pregunté si podía excitarlo sexualmente. Yo quería... le ofrecí... acariciarlo y provocarle una erección, pero eso no significa masturbarlo. El chico por el que fui condenado sí me permitió masturbarlo.*

¿Confundido? Nosotros también. Ben explicó lo que pensaba: él creía que al acariciar a un niño hasta el punto de la excitación sexual no lo estaba masturbando, que la masturbación sólo ocurre si el niño eyacula. Para Ben, eso era una gran diferencia. ¡Cuando se trata de la ley de agresión sexual hacia un niño, no hay diferencia!

Ben también tuvo un desliz freudiano; él dijo "yo quería", pero rápidamente enmienda la palabra a "ofrecí". La palabra "querer" revela su verdadero motivo; la palabra "ofrecer" lo hizo parecer más inocente y altruista, como si le estuviera haciendo un favor al niño. Y a pesar de sus años de terapia, Ben seguía culpando a su víctima por el crimen: él "me permitió masturbarlo". Ben dijo que su emoción proviene de la "persecución", la seducción de un niño. Recuerde que los pedófilos fantasean con victimizar a los niños, así que el largo proceso de establecer el vínculo emocional sin duda excitó sexualmente a Ben.

Aparte de satisfacer las necesidades emocionales y relacionales de un niño, un abusador sexual puede dar obsequios como parte del proceso de establecer el vínculo emocional. Imagine que un niño desea tener el videojuego más nuevo o ir a un evento deportivo profesional. El ofensor comienza a proporcionar cosas que normalmente están fuera del alcance del niño. La relación se convierte en una amistad cada vez más valiosa debido a lo que el niño está ganando algo materialmente, pero los regalos son realmente sobornos. El abusador eventualmente puede prometer un regalo a cambio de un acto sexual, o dar un regalo para premiar la docilidad, o prometer un regalo importante en el futuro para asegurar el silencio del niño. Una vez una víctima me dijo que su abusador le prometió comprarle un automóvil deportivo cuando cumpliera 16 años – pero solo si el niño no decía nada.

Señales de Alarma: Contactos Intrusivos

- Masajes
- Cosquillas
- Besos apasionados
- Dormir en la misma cama
- Soplar para hacer cosquillas en el estómago del niño
- Masajes en la espalda
- Acariciar el cabello
- Luchas y juegos bruscos
- Abrazarse, acurrucarse juntos
- Tomar la mano o acariciar la pierna mientras conduce

Los abogados defensores presentan todo tipo de explicaciones sobre las acciones de sus clientes que abusan de menores. Un abogado argumentó que el acusado simplemente estaba brindando "educación sexual" cuando acariciaba al niño. Otro argumentó que el acusado estaba revisando al niño para ver si padecía de "enfermedades sexuales". Otro abogado dijo que su cliente solo estaba viendo si el niño se estaba desarrollando correctamente. Cualquier jurado razonable podría ver adivinar la intención detrás de estas cortinas de humo; al menos se espera que puedan.

El ex entrenador de fútbol de la Universidad Estatal de Pensilvania, Jerry Sandusky, es un modelo a seguir para los pedófilos. Él era miembro respetado de la comunidad; incluso comenzó un programa para jóvenes en riesgo, lo que le dio acceso a niños que provenían de hogares problemáticos y de bajos ingresos, así como a muchos niños que necesitaban una figura paterna. Jerry pronto comenzó a sobrepasar los límites con los niños con los que pasaba tiempo individual.

Escuche cómo responde Sandusky a la investigación del cineasta John Ziegler sobre acusaciones de que Sandusky había abusado sexualmente de niños pequeños:

Sandusky: *Porque no lo hice. Sí, los abracé. Tal vez puse a prueba algunos límites. Tal vez no debí haberme duchado con ellos. Sí, les hice cosquillas. A algunos probablemente los consideré más jóvenes de lo que eran. Pero no hice ninguno de estos actos horribles ni abusé de estos jóvenes; no los violé, no les hice daño.*

Ziegler: Cuando dices que tal vez pusiste a prueba límites, ¿por qué ponerlos a prueba?

Sandusky: *¿Por qué puse a prueba esos límites? Es posible que haya puesto a prueba los límites debido a mi entusiasmo y a mi anhelo por marcar una diferencia en sus vidas, debido a mis esfuerzos para marcar una diferencia en sus vidas.*

Sandusky se considera a sí mismo como un buen hombre que se preocupa profundamente por los niños con problemas. Borra su comportamiento de probar los límites al decir que "tal vez" no debería haberlo hecho; sostiene contundentemente: "No les hice daño".

La sociedad se está dando cuenta lentamente de que los niños experimentan el mismo daño psicológico y emocional que las niñas cuando son víctimas de abuso sexual. De hecho, Sandusky les causó un gran daño a sus víctimas.

Piénselo

Dos hombres fueron testigos visuales del momento en que Jerry Sandusky abusaba sexualmente de un niño. Ninguno intervino ni lo reportaron a la policía; ambos hombres tenían temor de perder sus trabajos por hablar en contra de un entrenador popular y exitoso.

¿Qué hubiera hecho usted?

Regresando a la entrevista con Ben …

Ben me dijo que se sentía atraído por los chicos que tenían un físico menudo y eran más vulnerables. He conocido a otros pedófilos con interés sexual en niños preadolescentes. Más adelante en nuestra conversación, Ben parecía estar satisfecho consigo mismo cuando me dijo que había establecido un vínculo emocional con "un par de niños", pero nunca tuvo avances sexuales con ellos. Dijo: "Pero yo salí de eso", atribuyéndose el mérito de no haber cedido a su atracción hacia estos chicos. Una explicación mucho más probable es que, mientras Ben establecía el vínculo emocional con ellos, los niños crecieron y se desarrollaron físicamente hasta el punto en que ya no eran deseables para Ben.

Los abusadores pueden usar muchos toques "aceptables" y no-abusivos como parte de su interacción con un niño. Un abrazo, una palmadita en la espalda, posiblemente agarrar su mano, una lucha y unas cosquillas harán que el niño se acostumbre al toque físico del abusador. Todo parece normal, bueno y afectuoso. Sin embargo, el toque "aceptable" es solo el calentamiento que se hace antes de lanzarse. Los toques "aceptables", como frotar la espalda, son el precursor de los toques intrusivos. Los padres deberían reconocer como señal de alarma si alguien le da un masaje a su hijo. La mayoría de los abusadores de menores tratarán de "probar el agua" lentamente; pasan de los toques "aceptables" a los toques intrusivos y observan cómo reacciona el niño. Si un niño reacciona de manera abiertamente negativa, el abusador podría alejarse rápidamente y no ir más allá, por temor a ser descubierto.

Un abusador que tiene una relación no sexual establecida con un niño presenta una amenaza muy real. La relación establecida entre ellos aumenta la confusión del niño cuando el delincuente comienza a poner a prueba límites del niño. El niño-objetivo podría interpretar el toque del delincuente como "aceptable" debido a que es él la persona que lo está tocando. El perpetrador depende del respeto, el amor o la autoridad que ha desarrollado con el niño para crear confusión dentro de la mente y las emociones del chico. El niño cree que esta persona lo ama, pero no puede entender por qué está haciendo estas cosas que "no están bien". Esa neblina confusa puede hacer que el niño sea más reacio a oponerse a los avances de la persona, en particular cuando el ofensor asegura que lo que está sucediendo está "bien". Cuando una persona de confianza traspasa los límites puede hacer que un niño pequeño cuestione sus instintos que le advierten sobre el peligro.

Sea Cauteloso con Alguien que...

- Hace bromas sexuales enfrente de un niño.
- Juega bromas pesadas con un niño.
- Juega juegos que implican desvestirse.

- Juega quitándole los pantalones a un niño.
- Le pide a un niño que guarde secretos.
- Aprueba que un niño rompa las reglas.
- Se comunica en secreto o excesivamente con un niño.
- Está más interesado en estar con niños que con adultos.
- Parece estar demasiado interesado en un niño.
- Se ofrece a cuidar a los niños o a llevárselos por la noche para que los padres tengan un descanso.
- Realiza actividades con niños cuando los padres no están invitados o involucrados.

Vale la pena repetir: si su hijo se muestra reacio a ir a algún lugar o a estar con alguien, tómese el tiempo para preguntar por qué.

Pregúntele al niño cómo se siente acerca de una persona o lugar, y tenga cuidado de no descartar inmediatamente las dudas o percepciones del niño como "tontas" o "ridículas"; incluso si no tienen sentido para usted, no ponga a un niño en una situación en la que sienta temor. ¡A esos instintos – en el padre o el niño – se les debe prestar atención!

En algunos casos, los abusadores introducirán la pornografía como una herramienta para seducir y abusar de un niño. Las imágenes pornográficas sorprenden al niño, haciendo que se sienta más intimidado y controlado. El perpetrador puede usar las imágenes para instruir al niño sobre cómo satisfacer la lujuria de su ofensor. La exposición continua y la presión quiebran la resistencia del niño a participar en actos sexuales.

Tomemos un momento para considerar algunas señales de advertencia. Cuando alguien ofrece pasar tiempo a solas con su hijo, quiere llevárselo toda la noche, o le da obsequios con frecuencia a su hijo – u obsequios caros – es hora de que preste usted atención. Otras señales de peligro incluyen a cualquier adulto o adolescente a quien le gusta pasar tiempo con niños más pequeños, que no tiene un grupo de amigos de la misma edad para socializar, que utiliza la jerga de los jóvenes en las conversaciones o se mete en chismes de relaciones infantiles. Limite la exposición de su hijo a esta persona y no permita que pasen tiempo a solas. Sea sabio, préstele atención a su instinto y tome precauciones. Tenga cuidado de no calificar a la persona como "abusador de menores" con su familia, amigos u organizaciones sin tener una prueba. ¡Los padres deben ser cautelosos, no alarmistas!

No todos los abusadores establecen un vínculo emocional con sus víctimas. Los niños pueden ser victimizados sin previo aviso. Esta es la razón por la cual los pequeños necesitan comprender claramente cuáles son los límites de su cuerpo, así como saber cómo buscar ayuda si se cruzan esos límites. Los padres sabios permanecerán vigilantes de los patrones relacionados con establecer un vínculo emocional y no dudarán en hacer ajustes en la forma en la que permiten que los demás se relacionen con sus hijos si se sienten incómodos. Los padres siempre deben escuchar sus instintos.

En cualquier situación, una cosa es cierta: ¡Un abusador que ha hecho su jugada quiere mantenerlo en secreto! La próxima conversación que los padres deben tener con los niños abordará el tema de los secretos.

Notas Personales

Notas Personales

Diferenciar Secretos Buenos vs. Secretos Malos

Los abusadores saben que la clave para escapar con éxito luego de haber violado el cuerpo de su hijo es lograr que este se rebele y deje de ser leal a las figuras de autoridad, especialmente la suya. Ya sea un pedófilo que establece un vínculo emocional, o un abusador de menores usando amenazas o intimidación, el delincuente busca ser la influencia número uno, la voz más importante, en la mente y el corazón de su hijo. Una vez que se ha cruzado la línea y se ha cometido una acción que "no está bien", la voz de autoridad del perpetrador tiene un mensaje tajante para su hijo:

¡NO LO DIGAS! Ser descubierto es el peor miedo del abusador sexual, por lo que le es primordial lograr que su hijo guarde el secreto.

Una conversación esencial que debe tener usted con su hijo involucra los secretos "buenos" vs. los "malos". Una vez que un abusador se arriesga a exponer a un niño a información sexual (pornografía o tomar videos/fotografías de desnudos), exposición corporal (la desnudez del niño o del abusador), o contacto sexual (del niño o del cuerpo del abusador), el niño se enfrenta a un terrible dilema: "¿Lo digo?"

Los abusadores pueden usar la culpa para manipular a las víctimas y lograr que guarden silencio. Culpan a sus víctimas, acusándolos de no oponerse o no detener lo que el agresor estaba haciendo. Un abusador podría decirle a un niño cuánto "les gustó" a ambos lo que sucedió.

El agresor podría decirle al niño que no pudo evitarlo porque es "muy guapo" o "muy bonita". Algún niño podría sentirse culpable por el abuso pensando que sucedió porque él o ella de alguna manera se portó mal. Es muy probable que un agresor le diga a la víctima: "Si dices algo, nos meteremos en problemas".

La culpa puede silenciar a un niño que no quiere meterse en "más problemas" por hablar.

El miedo también se puede utilizar en una variedad de formas para intimidar a una joven víctima y hacerla guardar silencio. Un hombre que arresté les dijo a sus dos hijastras que si no realizaban el acto sexual que él quería, volverían a vivir en un automóvil con su madre.

Una de las chicas, que se mostraba reacia a hablar del abuso, me dijo: "No quiero perder nuestro auto nuevo". Parecía una respuesta extraña hasta que me di cuenta de que este hombre tenía un todoterreno deportivo con todas las extras, un auto genial para una niña de su edad. Era mucho más agradable que el viejo carro destartalado en el que vivían antes de que este hombre se hiciera amigo de su madre y se casara con ella. Las chicas estaban aterrorizadas ante la idea de regresar a un estilo de vida indigente. El agresor les dejó claro qué si se oponían a realizar actos sexuales, o si alguna vez se lo decían a alguien, perderían la comodidad de dormir en una cama caliente con un techo sobre sus cabezas.

Factores de Riesgo

Según el Tipo de Familia

La estructura familiar es el factor de riesgo más importante en el abuso sexual infantil. Los niños que viven con dos padres biológicos casados tienen bajo riesgo de abuso; el riesgo aumenta cuando los niños viven con padrastros o con una madre o un padre soltero. Los niños que viven sin ninguno de sus padres (niños en custodia) tienen 10 veces más probabilidades de ser abusados sexualmente que los niños que viven con ambos padres biológicos. Los niños que viven con una madre soltera que tiene una pareja de convivencia corren el mayor riesgo: tienen 20 veces más probabilidades de ser víctimas de abuso sexual infantil que los niños que viven con ambos padres biológicos.

(Fourth National Incidence Study of Childhood Abuse and Neglect, Report to Congress; Sedlack, et. al., 2010)

En otro caso, un novio de convivencia involucró en actos sexuales a la hija de su novia exponiéndola a la pornografía. Le dijo: "todas las familias hacen esto", y convenció a la niña de que su madre ya sabía lo que estaba sucediendo entre ellos; le indicó que como era "un secreto familiar" si alguna vez hablaba con su madre al respecto, ella le daría una cachetada muy dura en la cara. En la mente de esta niña, si se lo decía a alguien, tendría que enfrentar el enojo de su madre, así como el del agresor. Por supuesto, todo esto era una mentira, pero ella no lo sabía, lo que la dejó con la sensación de que no tenía adonde ir. Miedo al castigo, miedo al rechazo, miedo a la desaprobación, miedo a que no se le creyera; todo esto, incluido en el chantaje emocional.

Anteriormente hemos comentado cómo los obsequios o los sobornos pueden ganar el silencio de una víctima. El agresor puede obtener la aprobación y la lealtad de un niño al proporcionarle elementos que de otro modo serían inalcanzables. Un abusador al que entrevisté sabía que a su víctima le encantaba el baloncesto, por lo que llevaba al niño a los juegos de baloncesto profesional de la NBA. ¡El chico, por supuesto, no quería que eso terminara! Otro abusador dejaba que su víctima bebiera alcohol y preparaba fiestas para el niño y sus amigos.

Recuerde, el abuso sexual infantil se presenta de muchas formas y no siempre implica contacto. Algunas veces es bajo la forma de explotación sexual (exposición de las partes íntimas del niño a través de teléfonos celulares, cámaras, cámaras web, etc.). Un niño puede sentirse incómodo con la idea de quitarse la ropa para una foto, pero podría ser persuadido de hacerlo a cambio de un nuevo juguete. "Será nuestro secreto", dice el abusador.

La mayoría de los adultos les dirán a los padres cuando compran algo para su hijo, por lo general, acompañado de una historia. Los detalles se ofrecen relajadamente, incluso antes de que el padre pregunte. Pero los padres que ven que su hijo tiene nuevos artículos o dinero, sin explicación, deben conversar con el chico. Investigue: *¿De dónde sacaste eso? ¿Quién te lo dio? ¿Tuviste que hacer algo para conseguirlo?* Si la respuesta de su hijo tiene sentido y la da sin estrés, es posible que no haya nada de qué preocuparse.

Sin embargo, si ve que su hijo titubea con la respuesta, o muestra signos de vergüenza o miedo, algo podría estar mal. No entre en pánico suponiendo que su hijo ha establecido un vínculo emocional o ha sido víctima de abuso sexual. Podría ser que su hijo lo haya tomado de la casa de un amigo, o lo haya robado de una tienda, o que haya sacado el dinero de su cartera.

Deje que el niño le explique y luego dele seguimiento, según sea necesario.

La discusión con su hijo sobre los secretos buenos y los secretos malos puede ser algo así:

"*Cuando es cumpleaños de alguien, es divertido elegir un regalo especial para esa persona y envolverlo. Envolve-*

mos el regalo para que la persona que cumple años no sepa lo que compramos, es nuestro secreto. Un secreto es cuando sabemos algo que nadie más conoce".

"Hay secretos buenos y secretos malos. Es muy importante que sepas la diferencia. Los secretos buenos nos hacen felices a nosotros y a otras personas. Los secretos buenos solo se guardan durante un tiempo muy breve, y luego todos saben cuál es el secreto, ¡como cuando se abre un regalo!"

"Los secretos malos nos hacen sentir tristes, heridos o asustados. Los secretos malos nos hacen sentir mal por dentro y empezamos a preocuparnos. Si ves a una persona haciendo algo incorrecto, esa persona podría decirte, '¡No se lo digas a nadie!, es nuestro secreto'. Recuerda, ese es un secreto malo. Si una persona te obliga a hacer algo que no querías hacer y te dice, '¡No lo digas!' – entonces es un secreto malo".

"Te quiero mucho. Si alguien quiere que guardes un secreto malo, es muy importante que me lo cuentes al instante. Quiero saber si sucede algo que te haga sentir nervioso, avergonzado, triste o asustado. Puedo ayudarte si me lo cuentas. Recuerda, no me enojaré contigo por lo que sea que haya pasado".

"Incluso si la persona dice que te hará algo malo si dices el secreto, no te preocupes, me aseguraré de que eso no suceda. Ven y dímelo de inmediato. Te creeré y te cuidaré".

Pregúntele a su hijo si todo lo que le dijo está claro y si tiene alguna pregunta. Revise con su hijo quiénes son las personas seguras, a las que les puede contar, en caso de que el niño sepa un secreto malo. Siempre concluya su charla con un abrazo y una afirmación verbal de amor. Después de esa conversación, los niños deben estar seguros de cuán especiales son y de lo orgullosos que estamos de ellos.

Actividad: ¿Es un Secreto, Bueno o Malo?

Pídale a su hijo que identifique los siguientes secretos como buenos o malos. Pregúntele cómo se sentiría en esta situación y qué haría. Escuche hasta que su hijo haya compartido todos sus pensamientos. Si llega a una conclusión incorrecta, ayúdele a entender la respuesta correcta.

- Un amigo del colegio dice que su papá le pega y que tiene miedo. Te pide que no lo cuentes.
- Esta noche toda la familia va a salir a un lugar especial. Tu mamá te dice que guardes el secreto.
- Una persona que conoces te muestra fotos de personas sin ropa. Te dice que no lo digas.
- Una niñera invita a unos amigos cuando no debería. Ella te da postre extra y te dice que

lo guardes en secreto, sin decírselo de tus padres.

- Tu hermano va a recibir una nueva pelota de baloncesto para su cumpleaños. Está envuelta en el armario. Papá dice que no le digas a tu hermano nada antes de la fiesta de cumpleaños.
- Alguien te muestra sus partes privadas. Te dice que no lo cuentes.
- Viste a un amigo tomar algo de la tienda sin pagarlo. Tu amigo te dice que no digas nada.
- Una compañera de colegio te dice que le ha hecho una carta especial a la maestra. Ella te pide que mantengas el secreto.
- Alguien que conoces toca tus partes privadas. Te dice que no digas nada o se enojará mucho.
- Durante un juego alguien te reta a quitarte los pantalones. Tú dices "¡No!" ¿Qué debes hacer después?

Notas Personales

Notas Personales

Construir Confianza: Nuestro Ataque Preventivo Contra los Abusadores

En tiempos de miedo, confusión o tristeza, ¿será usted la persona a la que su hijo recurra? Yo creo que sí puede ser, pero esto no será automático; no sucederá si no hay confianza. ¿Será su sabiduría lo que resuene en el corazón de su hijo y lo guíe a un lugar seguro cuando él o ella está bajo presión? Yo creo que sí puede ser, pero no sucederá si no hay confianza. *¿Le hablará su hijo?* Claro, si hay confianza.

Este libro trata sobre establecer una base protectora en la vida de su hijo. Hay muchos, muchos factores que se aplican, pero la clave para que esta base sea firme es la confianza. Así como usted cultiva el amor y la seguridad, debe cultivar la confianza. La confianza es la firme creencia de la fiabilidad, la verdad, la capacidad o la fuerza de alguien. Aquí están mis sugerencias sobre cómo ayudar a que la confianza crezca.

Las 10 maneras de la Detective Diane para construir la confianza con su hijo

1. Pase *tiempo* con su niño o niña. Aprecie lo que es único acerca de él o ella.

Tome tiempo para estar con su hijo, para realizar cosas interactivas que él disfrute. Un niño feliz y entretenido estará más abierto a hablar. Trate de no comparar a su hijo con otros niños; en su lugar, encuentre cosas para elogiar y alabar sobre sus habilidades, carácter y personalidad. Recuerde, las palabras duras hieren profundamente. Si a un niño se le etiqueta de "estúpido" o de "alguien que no puede hacer nada bien" o se le llama "obstinado", será muy difícil construir la confianza. Más bien, haga que las palabras de afirmación atraigan a su hijo hacia usted.

2. Practique la *paciencia* al escuchar

Es muy fácil ignorar a los niños. Podemos terminar las frases por ellos, decirles que se vayan, escuchar a medias lo que dicen por estar enfocados en otra cosa, o enviarlos a que estén con otra persona. No nos damos cuenta de que interrumpir a un niño es limitarlo. Lo que es importante para los niños puede ser totalmente aburrido y aparentemente irrelevante para nosotros.

Crear confianza con los niños significa valorarlos a ellos y a sus pequeños mundos.

Tanto como sea posible, cuando su hijo hable deténgase, haga contacto visual y escuche con paciencia. Su escucha activa hará un gran depósito en el banco de confianza. Su hijo se sentirá amado, sabiendo que le importó lo que compartió y le interesa cómo se siente. Así, en caso de que ocurra algo problemático – con respecto a las señales de advertencia emocionales o a los toques inapropiados – su hijo estará mucho más dispuesto a compartirlo con usted.

3. Comparta sus *valores* familiares.

¿Qué tipo de carácter quiere que su hijo tenga?

Comience a darle forma explicándole lo que usted valora, y luego modele los valores familiares. Cuando su hijo demuestre rasgos de carácter como honestidad, generosidad o bondad, exprésele cuán orgulloso lo hace sentir esto. Si su hijo hace algo mal, considérelo como una oportunidad para conversar sobre la toma de decisiones, las consecuencias y las elecciones. Su hijo necesita tener valores, ideales y un sentido de propósito para guiar su vida. Siempre hable con su hijo de una manera apropiada para que entienda su mensaje sobre lo que es importante y recuerde: nunca le niegue su amor al niño debido a un error o mal comportamiento.

4. Siempre diga la *verdad*.

En ocasiones, los detalles que comparte con su hijo deben ser limitados, pero siempre trate de dar una respuesta honesta. Si ha muerto una mascota, dígaselo, pero transmita con sensibilidad los detalles de la muerte. Si la aplicación de un medicamento en la herida de su hijo arderá, hágaselo saber, en vez de decir "esto no va a doler". Su hijo debe sentirse seguro de que si tiene alguna pregunta, usted tendrá una respuesta confiable.

5. *Cumpla* su palabra.

Hágale a su hijo promesas realistas y haga lo mejor que pueda para mantenerlas. Muchos niños resultan devastados cuando sus padres no cumplen su palabra. La confianza viene a través de la certeza de que lo que se diga es lo que se hará. Los niños necesitan saber que pueden contar con usted.

Si las circunstancias hacen que una promesa sea imposible de cumplir, tómese un momento para explicarle a su hijo la razón, y hágalo de una manera atenta, que reconozca la decepción de su hijo. Así será menos probable que su hijo internalice la situación como un rechazo personal.

6. Utilice la *disciplina* con justicia y moderación.

La respuesta de un padre a la desobediencia de un niño debe ser medido y controlado, no volátil e impredecible. Asegúrese que sus reglas sean claras y comprensible para su hijo. Él o ella debe saber que si las reglas llegan a romperse, habrá consecuencias. Intente evitar cualquier apariencia de favoritismo a un niño sobre otro. Cuando la disciplina es utilizada de manera justa y consistente, su hijo comprenderá a lo que se refiere con lo que dice. El seguimiento, incluso con disciplina, sirve para que su hijo se sienta seguro.

7. *Admita* cuando está equivocado.

Si comete un error, admítalo ante su hijo, y no sea orgulloso: pídale perdón cuando usted se equivoca. Los padres que pueden reconocer que han perdido los estribos, dijeron algo que no deberían haber dicho o no cumplieron una promesa, demuestran cuán importante es hablar de los problemas, los errores y los sentimientos incómodos. La confianza se construye cuando su hijo ve que usted está dispuesto a reconocer su imperfección, demostrándole que tales discusiones no tienen que producir temor.

8. *Responda* en lugar de sobre-reaccionar.

Los niños necesitan saber que cometer un error no es el fin del mundo. En casa o en público, los niños cometerán errores o no se comportarán a la altura de las expectativas de los padres, o harán algo sobre lo que no tienen control (por ejemplo, mojar la cama). Un padre que reacciona de forma exagerada regañando o insultando al niño provocará un distanciamiento entre ellos. Si el resultado de una confrontación es que su hijo ha sido humillado, usted está manejando el asunto incorrectamente; los niños no confiarán en alguien que los avergüence. Cuando usted se sienta frustrado, y en ocasiones todos los padres se sienten así, respire profundamente, aléjese para calmarse y luego aborde lo que debe ser tratado sin realizar un ataque personal contra su hijo.

9. La *compasión* fomenta la comunicación.

Los niños pequeños experimentan sus propias situaciones estresantes que producen sentimientos incómodos. Esta situación podría ser una sensación de rechazo cuando un amigo no quiere jugar con ellos; inseguridad al ser elegido de último cuando se escogen equipos; miedo a la humillación cuando se le pone algún apodo; miedo a ser empujado o amenazado en el patio de recreo. Tomarse el tiempo necesario para preguntar sobre sus sentimientos, escuchar lo que le duele y ofrecer respuestas alentadoras y afirmativas mejorará su sensación de seguridad y sabrá que a usted le importa lo que le molesta y que lo apoyará cuando esté sufriendo.

10. *Convierta* sus palabras en hechos.

Los niños no son adultos pequeños, como algunos dicen. Ellos son niños, y todos los niños son influenciables. Los padres pueden influir en el desarrollo del carácter de su hijo, modelando consistentemente atributos correctos, tales como la honestidad, el respeto, el amor, la equidad, la sabiduría, la paciencia, la confianza, la fuerza y el autocontrol. Practicar lo que se predica demuestra que usted es auténtico, constante y confiable; una persona a la que se debe acudir en momentos de necesidad.

Usted no es un mal padre si pierde uno de estos objetivos o los aplica de forma variable; el punto es recordarlos y mantenerlos en mente como sus objetivos.

Como puede ver en todo lo que se ha mencionado en este libro, es muy importante que tenga conversaciones específicas con su hijo para ayudarlo a construir una relación de confianza, promover la seguridad personal y prevenir el abuso sexual. El tiempo individualizado que pasa con usted le ayuda a su hijo a aprender que su cuerpo es especial y que cada parte tiene un nombre especifico y un trabajo que hacer; su hijo aprende que las partes privadas deben respetarse y cuidarse adecuadamente. Estas lecciones se consolidan cuando su niño observa que usted modela el respeto por lo que dice y hace, y lo que se permite o no dentro de su hogar. Cuando usted le permite a su hijo rechazar los toques que lo hacen sentir incómodo, incluso si son de parte de su familia o amigos, la confianza de su niño crece. Las conversaciones con usted le enseñarán a su hijo cómo prestar atención a los sentimientos internos que advierten sobre el peligro, y cómo reaccionar si eso llegase.

A través del tiempo que pasa con su hijo, usted estará reafirmando su amor, disponibilidad, accesibilidad, disposición para escuchar y creer, así como para responder de forma protectora ante cualquier situación del mundo en el que se desenvuelve su hijo.

Aquí hay algunas sugerencias sobre cómo aumentar su accesibilidad.

- Ayude a su hijo a superar los problemas y a experimentar el éxito. Es bueno que los niños se enfrenten a desafíos razonables, ya sea un acertijo, tarea, deportes o completar un trabajo en casa. Ayude a su hijo a tener éxito dándole instrucciones claras y un estímulo constante. ¡Elogie el progreso y los logros de su hijo! Todo el mundo necesita tener un porrista de su lado.
- Cultive el sentido del humor. Ingrese a los mundos divertidos de fiestas de té o superhéroes con los niños pequeños. Lea con su hijo un libro entretenido, un capítulo cada noche. Bromee sobre las cosas tontas que ocurren durante el día, incluso los errores inocentes. Los padres gruñones o críticos no son fáciles de abordar, pero la alegría y la risa son excelentes agentes de unión.
- Provéale a su hijo tiempo individualizado. Esto es difícil de cumplir para un padre ocupado, pero los momentos compartidos entre los dos dejará una marca indeleble en el corazón de su hijo. Hacer mandados juntos, salir a caminar, jugar un

juego u orar a la hora de acostarse, todo esto permite agradables intercambios de conversación. Estas cosas refuerzan el mensaje: 'Estar contigo y saber lo que piensas y sientes es importante para mí'.

- Permanezca tranquilo cuando las cosas van mal. Pocas cosas son más atemorizantes para un niño que un padre que está fuera de control. Trate de mantener una perspectiva adecuada sobre las cosas pequeñas. Un plato roto, un juguete perdido, un atuendo arruinado o una habitación desordenada no merecen un estallido de ira. Si usted puede, respire profundamente y concéntrese con calma en el asunto que tiene entre manos, su hijo verá que usted es la persona adecuada a la cual buscar cuando la vida se vuelve frustrante o cuando suceden cosas inesperadas.

Notas Personales

Si Su Hijo Habla Sobre un Abuso Sexual

Los padres que apliquen los principios presentados en este libro invertirán sus esfuerzos, no solo en la protección de sus hijos, sino también en fomentar una relación más profunda y de confianza con respecto a todo lo que conlleva la vida en el futuro.

Lamentablemente, a pesar de todo el cuidado y la precaución que los padres puedan brindar, no hay una garantía del 100% de que un abusador nunca se acerque a un niño. Desearía que fuera así.

Las revelaciones de un abuso sexuales pueden presentarse de manera directa o indirecta. Un niño puede decir algo de manera indirecta como "a mi abuelo le gusta dormir en mi cama", o "no me gusta ir a la casa de mi tío" o "a veces Johnny es malo". Estas declaraciones no dan detalles del abuso, pero deben provocar una investigación adecuada por parte de uno de los padres para aclarar lo que el niño realmente está diciendo.

Las preguntas apropiadas son preguntas que no son destacadas y no acusatorias.

Los indicadores de abuso sexual pueden incluir a los niños que muestran un comportamiento sexual, como "follar" algo, o usar términos sexuales que son demasiado jóvenes para saber o entender. Los niños más grandes pueden preguntar si podrían quedar embarazadas a su edad, o disfrazan la información hablando de "un amigo que está siendo abusado".

Nuevamente, se deben hacer preguntas adecuadas de seguimiento.

Una niña pequeña le dijo a su maestra: "mi hermano me ha sexado"; la maestra, apropiadamente, les informó de posibles abusos a las autoridades. Cuando entrevisté a la niña, ella me dijo lo mismo. A través de preguntas no sugestivas aprendí que "sexado" para ella significaba ser besado. Su hermano le dio un beso y ella pensó que era sexo. No hubo abuso sexual.

La revelación directa se puede provocar cuando un niño se da cuenta de que los actos sexuales o las exposiciones indecentes a los que ha estado expuesto no son conductas "normales". Un niño puede contar estas cosas después de haber sido expuesto a información de seguridad o cuando le preocupa que un hermano sea victimizado.

También sería una revelación directa una declaración inesperada provocada por el propio miedo, angustia o frustración del niño sobre la victimización.

Además, puede darse una revelación directa a medida

que usted comparte con su hijo las conversaciones de seguridad que se tratan en este libro.

No importa cómo salga a luz una revelación, lo mejor para ayudar a su hijo es hacer lo siguiente:

1. Mantenga la calma. No reaccione de manera exagerada.

Los niños que consideran la idea de decirles a sus padres que lo tocaron de una manera que "no está bien" podrían tener algunos pensamientos desalentadores: *¿Cómo reaccionarán mis padres? ¿Me creerán mis padres? ¿Me meteré en problemas? ¿Me hará daño [el abusador] por decirlo? ¿El abusador irá a la cárcel?*

Cuando su hijo haga una revelación, usted no sabrá de inmediato que tácticas usó el abusador para establecer el vínculo emocional. Por lo tanto, es muy importante que no reaccione de forma exagerada a lo que le ha compartido porque la reacción puede avivar los temores que el agresor ha plantado en la mente de su hijo.

Respuestas que Hay que Evitar

- "Debes haber entendido mal. Él te ama"
- "Él nunca te lastimaría."
- "¿Cómo puedes decir eso sobre él?"
- "¿Estás diciendo la verdad?"
- "¡Voy a matarlo!"

- "¡Va a ir a la cárcel!"
- "¿Cómo pudiste permitir que eso pasará?"
- "¿Por qué no me dijiste antes?"
- "¿Por qué no lo detuviste?"

Sin control, el péndulo puede oscilar entre la negación, el castigo, las acusaciones y la venganza total. Ninguna de estas respuestas es útil para un niño que está pidiendo ayuda y apoyo. Su hijo está reuniendo toda la fuerza que tiene para contar lo que sucedió, para dejar salir el secreto. La mejor respuesta que usted puede tener es estar tranquilo.

Quizá usted esté en "shock", horrorizado por lo que acaba de escuchar, preocupado por su hijo y enojado con el abusador... pero ¡mantenga la compostura! Su hijo necesita ver y escuchar a un padre que confía, que escucha, y que cree, asegurándole que las cosas mejorarán ahora que usted lo sabe.

Hable lenta y suavemente. (Habrá un momento y un lugar donde puede llorar, gritar y desahogarse con otro adulto, fuera de la presencia de su hijo, pero en este momento ¡su hijo lo necesita!)

Descubrir que alguien ha dañado a niño que usted ama lo herirá profundamente, pero, por favor, entienda que llorar incontrolablemente o respirar amenazas de represalias solo asusta más a su hijo. Estas reacciones tan fuertes pueden hacer que su hijo no diga nada más, o incluso que se retracte.

2. Proporcione un lugar seguro para que su hijo hable.

Si el abusador está presente en el hogar o área, traslade a su hijo a un lugar separado, que sea silencioso, cómodo y alejado de la presencia de esa persona. Préstele a su hijo toda su atención.

3. Limite sus preguntas, no pida muchos detalles

Haga sólo las preguntas que se presentan a continuación (si su hijo aún no ha dado a la información). Escuche las respuestas del niño sin interrumpirlo, deje que su hijo use sus propias palabras.

- ¿Qué pasó?
- ¿Cuándo sucedió?
- ¿Dónde ocurrió?
- ¿Quién lo hizo? (Si no reconoce el nombre, pregunte cómo conoció su hijo a la persona)

Más tarde, escriba lo que su hijo le dijo, poniendo sus palabras entre comillas. Esto será útil al informar el asunto a las autoridades.

4. Que su niño sepa que él o ella está haciendo lo correcto al decírselo.

Afírmele que no tiene la culpa de lo que sucedió y no ha hecho nada malo. Asegúrele a su hijo que usted le cree y que decirle lo sucedido es lo correcto.

5. No prometa mantener el asunto en secreto.

Dígale a su hijo que hay personas especiales que ayudan a proteger a los niños, y es importante que sepan lo que sucedió. Si su hijo tiene una relación cercana con el abusador, podría decir: "________ *[nombre del abusador] necesitará ayuda para dejar de hacerlo. Estas personas también pueden ayudarte y ayudar a* ________ *[nombre del abusador]"*.

6. Reporte el asunto de inmediato a la policía local o a 'Child Protective Services' (Agencia de Servicios de Protección Infantil, CPS por sus siglas en inglés)

No permita que su hijo hable con el abusador o interactúe con él por ningún motivo. La policía o la CPS podrán organizar que un entrevistador forense capacitado profesionalmente hable con su hijo para determinar mejor lo que sucedió. Si se ha cometido un acto delictivo, las autoridades policiales hablarán con usted sobre los próximos pasos a seguir. Por favor, no piense que los miembros de la familia o los ancianos de la iglesia son las personas adecuadas para resolver un asunto que involucra una agresión sexual a un niño. ¡No lo son!

7. No tome el asunto en sus propias manos confrontado al abusador de menores.

Recuerdo haber traído a un hombre al cuartel general una noche para hablar sobre la situación de su hija de tres meses. Veníamos del Hospital de Niños donde la bebé estaba en cuidados intensivos en estado crítico. Yo pensaba que este hombre había sacudido violentamente a su hijita, causándole daño cerebral irreversible.

Mientras lo llevaba a la sala de entrevistas pasamos junto a un detective que tenía un bebé de la misma edad. Este detective era un hombre enorme, su rostro estaba enrojecido y tenía los dientes apretados.

Después de sentar al sospechoso en la sala de entrevistas, salí por un momento y él detective me recibió con un comentario comprensible: "sólo dame cinco minutos con ese tipo, Diane". Extendí la mano y le di unas palmaditas en el brazo; "obtendremos más de él haciéndolo a mi manera", le dije.

Cualquiera que tuviera un corazón podría entender la ira que el detective sentía, como padre. Pero mostrarle a este hombre una actitud enojada, disgustada o vengativa, no iba a ayudar a la situación. Lo que yo necesitaba era que el sospechoso me hablara, y obtener una confesión significaba que tenía que sentirme accesible, no amenazante, y confiable para conocer su secreto. Mantener mi compostura mantendría la comunicación fluida.

Resultó una entrevista difícil; el padre era muy cauteloso, pero hizo declaraciones que me ayudaron a construir el caso. Al final de mi investigación, lo admitió todo y fue sentenciado a 18 años de prisión.

Hacer lo que es conveniente para nuestros hijos requiere

nuestro tiempo, esfuerzo y dedicación desinteresada. ¿Qué podría ser más importante o valioso?

A lo largo de los años, muchas personas me han preguntado: "¿Cómo lidias con este tipo de crímenes? Tienes que ver y escuchar cosas tan horribles, ¿cómo puedes soportar a estos criminales?"

La respuesta más fácil es la siguiente: estoy dispuesta a hacer lo que sea necesario para garantizar la protección de los niños víctimas y lograr que se hagan justicia por ellos. Detener a un abusador de menores significa que un niño puede comenzar a sanar, y muchos otros niños estarán protegidos.

Nada en mi carrera ha significado más.

Notas Personales

Notas Personales

13

Un Futuro Inesperado

Este libro empezó con los casos reales de cuatro niños cuyas vidas cambiaron cuando la mayor, Cindy de 11 años, reveló años de abusos sexuales por parte de su padrastro. Este caso también dejó una marca indeleble en mi vida, y finalmente, cuando se leyó el veredicto, lloré.

Después de entrevistar a Cindy, arreglé que fuere examinada por una pediatra de confianza, la Dra. Marsha, quien era una experta en entrenar especialmente en temas de abuso sexual infantil.

Durante el examen la Dra. Marsha documentó todas las declaraciones de Cindy sobre su abuso sexual; todo era consistente con la entrevista que yo había tenido con Cindy.

El examen físico mostró que Cindy tenía desgarramientos profundos en la vagina y prácticamente no tenía himen.

Le pedí a la madre de Cindy, Karen, que viniera para una entrevista (recuerde que ella tenía pendiente un cargo de tercer grado por abuso infantil, debido al abuso físico contra Cindy). Karen llegó a tiempo, muy enérgica y sonriente; sabía que su esposo había conseguido un abogado y que no había decidido si hablar conmigo y tomar un examen de polígrafo. Ella me dijo que para ella era importante saber qué había pasado con Cindy, si es que había sucedido algo.

Karen le había dicho a su esposo que debía cooperar con la investigación y tomar el examen de polígrafo (lo cual nunca hizo).

Karen no sabía que yo ya había entrevistado a Cindy. No se lo dije, para ver qué respuestas me daría si sentía que yo no estaba informada. Le pedí a Karen que describiera a Cindy. Karen usó palabras como "muy dulce" y "muy generosa", pero también dijo que Cindy "puede ser muy egoísta" y "extravagante"; las contradicciones no me pasaron desapercibidas. Cuando se le pidió que describiera su relación con Cindy, ella respondió: "me han dicho sus maestros que ella hace muchas cosas por llamar la atención". Karen dijo que Cindy era "abusiva" con su hermano menor, y describió como los dos hermanos solían discutir. Luego, casi agotada, dijo: "he pasado por muchos episodios con ella".

Karen habló de una vez en la que Cindy tomó algo que era de un compañero de clase y luego le mintió a la maestra, alegando que su madre le dio dinero para comprarlo. Karen me dijo que Cindy esperaba que ella la cubriera con una mentira, y agregó: "soy honesta por naturaleza, nunca podría hacer algo así". Según Karen, Cindy tenía un historial de decir mentiras acerca de las personas.

Karen continuó diciendo que ella y Cindy eran "muy cercanas" y que "hablamos todo el tiempo". Karen estaba segura de que Cindy le habría confiado si algo malo hubiese sucedido con el padrastro. Karen hizo todo lo posible para decirme que ella y su esposo eran padres maravillosos y comprometidos; uno o ambos asistían a las reuniones de padres y maestros.

Ella comentó que Cindy era "muy, muy inteligente" y las únicas veces que las calificaciones de Cindy habían caído a D y F fueron las tres veces que Cindy estuvo en custodia temporal.

Oh, sí… custodia temporal.

Karen no omitió ningún detalle para destrozar a los padres adoptivos de sus hijos. "Esta última vez les han sucedido cosas raras a todos". Karen dijo que la más pequeña, María, tenía un hematoma en el trasero cuando vino a quedarse para una vista de Navidad. Ella insistió en que ella y su esposo querían que Cindy recibiera consejería "de inmediato" debido a esta acusación del abuso sexual. Les preocupaba que algún otro niño de la custodia temporal pudiera estar influenciando a Cindy para hacer una acusación falsa.

Karen introdujo una situación inesperada. Contó cómo Cindy una vez, cuando la familia vivía en Indiana, estaba jugando con sus primas; ¡metían lápices dentro de sus vaginas!" dijo Karen con algo de alarma. Ella y su esposo estaban bastante molestos y hablaron con sus familiares sobre el incidente. Le pregunté: "debe haber estado terriblemente preocupada por ella, ¿la llevó al médico para que la revisaran?". Karen dijo que llevó inmediatamente a Cindy al hospital; explicó que el doctor la revisó anal y vaginalmente. Pregunté sobre los resultados del examen, "ella estaba bien, absolutamente bien", contestó Karen. Pregunté por el nombre del doctor y el hospital, Karen no podía recordar, pero dijo que tenía la información en casa y que me la daría. Encontré su incapacidad para recordar el nombre del hospital bastante reveladora.

Creo que Karen estaba desacreditando al carácter de Cindy con la esperanza de que eso me convenciera de no creer en Cindy, lo que conduciría al final de la investigación. Karen se describió a sí misma como una madre cariñosa que protegía a sus hijos, pero nada podría estar más lejos de la verdad. Hubo algunas cosas que aprendí sobre Karen ese día.

Primero, ella estaba más dedicada a su esposo que a sus hijos. Dos, ella era mentirosa. Tres, era narcisista. Karen se fue de la entrevista asegurándome que Cindy recibiría consejería, y que le diría a su esposo que se aplicara un examen de polígrafo para aclarar las cosas.

Yo salí de la entrevista habiendo obtenido varias declaraciones que necesitaba investigar y verificar.

Entrevisté a las maestras de Cindy, quienes la recordaban como una niña dulce que les preocupaba debido a su introversión, las calificaciones, su tamaño pequeño y los moretones de los que ella daba explicaciones. Obtuve registros escolares que mostraban que las únicas veces que las calificaciones de Cindy lograron una mejora significativa fue mientras estaba en custodia temporal. Recibí copias de cartas enviadas repetidamente por funcionarios de la escuela a los padres de Cindy pidiendo tener una reunión con ellos para discutir sus preocupaciones, cartas que ambos padres habían ignorado.

Fotografié tres casas en Colorado donde la familia había residido; de mi entrevista con Cindy pude confirmar que su recuerdo de cada ubicación era preciso. Obtuve múltiples reportes de policías y servicios sociales de fuera del estado para obtener información sobre el historial de esta familia. Hablé con familiares en Indiana que no sabían nada de ningún incidente con el lápiz; ni tampoco Cindy cuando le pregunté. Karen nunca me proporcionó el nombre del hospital ni el médico que supuestamente examinó a Cindy. El padrastro se negó a hablar conmigo y nunca tomó un examen de polígrafo.

Estaba segura de que Karen inventó astutamente la historia de los "lápices" para explicar cualquier posible hallazgo médico de la Dra. Marsha. Y a pesar de su promesa de que Cindy recibiría consejería, Karen se negó en repetidas ocasiones a firmar documentos para permitir que Cindy recibiera consejería mientras se llevaba a cabo la investigación. Por extraño que parezca, mientras los niños estaban bajo custodia temporal, Karen conservaba los derechos de custodia.

De hecho, cualquier cosa que Cindy le pidiera a Karen, ella no lo permitía; cosas como hacerse un corte de cabello, ir a la iglesia con su familia temporal o hablar con un consejero. Esta era la forma en la que Karen y su esposo presionaban a Cindy para que se retractara de las acusaciones de abuso sexual. Era claro para mí que Karen haría cualquier cosa para proteger a su esposo, incluso si él fuera un abusador de menores.

¿Cómo puede una madre hacer eso? ¿Cómo puede alguien hacer eso? Sin embargo, la gente lo hace.

Tristemente, a veces trágicamente, la gente cree en los adultos por encima de los niños.

Convencer a un jurado de la culpabilidad de este padrastro sería un desafío. La gente no puede entender la idea de que alguien que se es como ellos, mantiene un trabajo, actúa educadamente, va a la iglesia y dice todo lo correcto... puede ser capaz de actos tan horribles. La mayoría de los jurados no entienden la dinámica del abuso sexual infantil. El abuso sexual de Cindy ocurrió en secreto; no hubo testigos presenciales, ni ADN, ni video o fotografías del crimen, ni huellas dactilares, ni confesión.

En el juicio, testifiqué mis entrevistas con Cindy, Karen y otros testigos; introduje como evidencia las cintas de video de la entrevista, dibujos de Cindy, cartas y fotografías. Otras personas presentaron registros médicos, escolares y de servicios sociales; Teri Camden testificó sobre la queja inicial de Cindy.

Yo me senté a la mesa de la fiscalía como testigo asesor durante todo el juicio.

La Dra. Marsha subió al estrado y testificó sobre el daño vaginal que encontró en Cindy. El fiscal preguntó si un lápiz podría haber causado las lesiones; "absolutamente no", respondió la doctora.

La testigo clave fue Cindy. Se podía escuchar un alfiler caer cuando Cindy entraba al tribunal para testificar en el juicio. Diminuta y de voz suave, llevaba una pequeña manta sobre un brazo para sentirse consolada al estar sentada en el estrado. Durante las siguientes horas, ella describió cómo el hombre que debería haber sido su protector se convirtió en su abusador.

Cindy dijo que comenzó cuando él "se puso todo meloso"; le daba abrazos y besos que eran incómodos. Entonces comenzó el contacto sexual. Cindy testificó que no le gustaba lo que estaba sucediendo, pero que no sabía qué hacer. Él dijo que la amaba y que ella era especial; a Cindy le gustaban los regalos que le daba. Él a veces prometía no volver a hacerlo, pero siempre rompía su promesa, y si ella se lo recordaba él se enojaba y le decía "¡sólo hazlo!". Cindy comentó que su padrastro le dijo que ese era su secreto, y que nunca se lo contará a nadie porque él podría ir a la cárcel. La idea de que él estuviera lejos de casa asustaba a Cindy ya que él era el único que podía intervenir cuando su madre la golpeaba. Entonces guardó el secreto por largo tiempo.

Esta niñita en el tribunal grande e intimidante respondió con calma y tranquilamente a todas las preguntas que le hicieron. Describió en detalle los abusos sexuales que tuvieron lugar en múltiples residencias a lo largo de los años. Ni una sola vez titubeó ni se alejó de la declaración original que me dio a mí. La defensa la interrogó detenidamente, incluso pidiéndole que demostrara una posición sexual que ella describió. (Algunos abogados defensores no tienen vergüenza).

La defensa decidió convertir a Karen en el chivo expiatorio, y ella estaba dispuesta a desempeñar el papel. La defensa se centró en el abuso físico de Karen hacia Cindy; destacaron cómo Cindy amaba a su padrastro y confiaba en que él la protegería de su madre. La defensa argumentó que Cindy estaba mintiendo sobre su padrastro con el fin de alejarse de Karen, permanentemente.

Cuando Karen subió al estrado para la defensa, describió a Cindy como demasiado dramática y mentirosa. Karen admitió que no siempre era la mejor mamá; admitió haber golpear y pateado a Cindy, lo que resultó en tres custodias temporales de crianza para sus hijos. Karen dijo que Cindy mentía sobre el abuso sexual solo para vengarse de ella. Karen, que testificó dos días después de la Dra. Marsha, incluso sostuvo su ridícula historia de cómo los primos de Cindy habían penetrado a Cindy por la vía vaginal, pero no con un lápiz, como me dijo en su entrevista, ¡ahora, según su testimonio, era un marcador!

El padrastro también subió al estrado y testificó cómo Karen golpeó a Cindy despiadadamente y cómo separó a Karen de Cindy para tratar de protegerla. Comenzó a llorar incontrolablemente en el estrado al describir la furia de la ira de Karen y la magnitud de la crueldad que Cindy soportaba. El juez permitió un descanso para que él pudiera recuperar la compostura. Cuando reanudó el testimonio, habló de su amor por Cindy y de cómo no la culpaba por querer vengarse de su madre acusándolo a él; firmemente *negó* haberla tocado sexualmente.

El jurado tenía que decidir a quién creer. Hubo ocho cargos por delitos graves contra el padrastro de Cindy, y cada uno tenía una fuerte sentencia de prisión. El jurado estuvo fuera durante dos días, deliberando.

Cuando nos reunimos en la corte para escuchar su veredicto, tomé la mano del fiscal del distrito y le susurré: *"si lo encuentran culpable del primer delito, lo encontrarán culpable de todos los delitos"*; pero sabía que también era cierto lo contrario: si lo encontraban "inocente" de uno, lo encontrarían "inocente" de todos. La madre adoptiva de Cindy,

Teri Camden, estaba sentada detrás de mí en la galería. Las dos sabíamos que si lo encontraban "inocente", Cindy y todos sus hermanos volverían a vivir en un hogar que era un inferno inimaginable.

El juez comenzó a leer: *"en el primer cargo por agresión sexual a un niño por una persona en posición de confianza, el jurado encuentra al acusado... culpable"*. No puedo describir con claridad el inmenso alivio que sentí en ese momento; puse la cabeza entre mis manos y comencé a llorar. Imagínese, la detective profesional que nunca llora, con el rostro lleno de lágrimas que le corrían. Era como si el peso del mundo se hubiera desprendido de mis hombros. Ni siquiera escuché los otros siete veredictos; todos eran "culpable". Ese monstruo nunca volvería a tocar a esta niña.

Me volví para mirar a Teri Camden. Sonreímos, asentimos y nos limpiamos las lágrimas. Fue el amor incondicional de esta mujer por su hija adoptiva lo que abrió la puerta para que finalmente Cindy confiara en alguien y contará el secreto que llevaba mucho tiempo oculto.

Nunca dudé de la sinceridad de esta niña víctima.

Los niños no son capaces de sostener y manipular mentiras complejas. No pueden tener un conocimiento íntimo de los actos sexuales basados simplemente en su propia imaginación; tal conocimiento proviene de la experiencia. Los niños pueden ser intimidados, manipulados y obligados al silencio por años porque sienten que no tienen a nadie a quien recurrir, o que nadie les creerá.

Afortunadamente, el jurado entendió esto. En su evaluación previa a la sentencia, y creo que en un intento por obtener una sentencia más leve, el padrastro admitió haber tenido contacto sexual con Cindy. Pero se negó a admitir haber cometido los actos más atroces. En la sentencia, el juez lo reprendió por su perjurio en el estrado y por arrastrar innecesariamente a Cindy a través de un arduo proceso de juicio. El juez declaró que este era el peor caso de abuso sexual infantil que se había probado en su tribunal. El padrastro fue condenado a 32 años de prisión.

En los meses que siguieron Karen perdió todos los derechos de custodia de sus cuatro hijos.

¿Qué pasó con Cindy? Fue adoptada por una familia amorosa... los Camden.

A lo largo de los años me mantuve en contacto con Cindy y su madre adoptiva, Teri. Cindy recibió años de excelente consejería por parte de un terapeuta que se especializa en víctimas de abuso sexual infantil. Los años de su adolescencia tuvieron desafíos especiales conforme Teri le enseñaba a Cindy los límites adecuados para salir con chicos. Un mes de junio recibí una tarjeta de graduación con la foto de Cindy. ¡Se veía hermosa! Luego tuvo un trabajo que ella disfrutó, y luego, un chico especial. Cindy se casó con un joven maravilloso que entendió su pasado y la amó aún más. Yo estaba emocionada el día en que sostuve en mis brazos a su primer bebé.

La recuperación nunca es rápida, pero la sanación ocurre. Puede haber un futuro inesperado y esperanzador para los niños maltratados que reciben el amor paciente y la crianza cariñosa que merecen.

Mi esperanza es que usted logre crear un vínculo de confianza con su hijo, el cual ningún abusador pueda romper fácilmente. Aplicar los pasos de este libro lo capacitará para tener conversaciones honestas y apropiadas para su edad, sobre sus cuerpos, e inculcarles la comprensión de que sus cuerpos merecen respeto. El tiempo que dedique a conversar amorosamente con su hijo e instruirlo le dará la *confianza necesaria para hablar con usted* en caso de que alguien amenace su inocencia.

* * *

Hay muchas cosas en la vida que vale la pena hacer, muchos objetivos admirables que podemos esforzarnos por alcanzar. Pero, para mí, nada es más importante que invertir en las vidas de los niños. Los treinta años que he dedicado a la aplicación de la ley me han dado innumerables oportunidades para intervenir en situaciones de crisis en las que los niños necesitan protección. Me siento honrada de haber tenido tal privilegio.

Ser padre o madre fue su destino. El deseo de mi corazón es que usted cuide como un tesoro a los pequeños que fueron confiados a su cuidado, haciendo que su bienestar su principal sea la prioridad en la vida. Lo exhorto a que tenga conversaciones bidireccionales significativas y que haga de estas una actividad diaria con su niño; sea el confidente de su hijo. Conviértase en la persona para quien todo sea un libro abierto; gánese esa confianza especial. Su amor cariñoso, la instrucción afectuosa y las opciones inteligentes de protección le ayudarán a su hijo a disfrutar de una infancia segura, divertida e inocente.

Ha sido un placer contribuir a ese fin por medio de lo que he compartido en este libro.

La vida da todo tipo de giros; cuando yo era joven, convertirme en madre era el deseo de mi corazón. Nunca sucedió, pero ahora cuando la gente me pregunta por mis hijos, sonrió y les digo "Dios me ha dado muchos hijos, pero no de la manera que esperaba".

Ser detective en el campo de los crímenes contra los niños ha sido mi trabajo más preciado. Fue mi destino y no lo hubiera querido de una manera distinta.

Notas Personales

Agradecimiento

Comencé a escribir *Protegiendo la Inocencia* para compartir con los padres los conocimientos que obtuve a lo largo de más de una década de investigar crímenes contra niños. Mi carrera ha consistido en responder a los crímenes, pero ahora quise prevenirlos. Estoy agradecida con todas las personas que me acompañaron para ayudarme a completar *La Protección de la Inocencia.* Algunos proporcionaron talentos creativos, otros aportaron comentarios críticos y muchos oraron. Todos compartieron el sentimiento de ver a los niños protegidos.

Quiero agradecerle a mi amigo, editor y animador principal, Rick Marschall. Su agudo ojo literario y su oído paciente me ayudaron inmensamente. Sus habilidades editoriales y sus ilustraciones creativas ayudaron a comunicar el mensaje de este libro.

El talentoso Nick Zelinger de *NZ Graphics* hizo un maravilloso trabajo diseñando la portada y el interior del libro.

Conocí a la Dra. Kathryn Wells en una sala de emergencias donde estaba tratando a un bebé con 17 fracturas. Mientras ella salvaba la vida del niño, yo recibí la confesión del abusador. La Dra. Wells es una increíble pediatra y experta en casos de abuso infantil. Me sentí honrada de que ella haya escrito el prólogo para *Protegiendo la Inocencia.*

Muchas personas leyeron mi manuscrito para ayudarme a verificar que los objetivos del libro estén bien encaminados y sean claramente comunicados. Sus comentarios fueron muy valiosos. Entre estos lectores de *Protegiendo la Inocencia* hubo mamás, papás, abuelos, maestros, terapeutas, profesionales médicos, abogados, agentes del orden público y trabajadores sociales. Fui bendecida ya que cada uno de ellos afirmó con entusiasmo la necesidad de este libro.

Mi más sincero agradecimiento a Denise Aulie; el Jefe de policía Phil Baca (jubilado); Dra. Dana Jene Easter, J.D. (Doctora en Jurisprudencia); Dra. Robin Eskey, Psy.D. (Doctora en Psicología); Nancy Kay LPC (Lic. en Consejería Profesional); Cristina Klumph, Cheryl Meakins, Cecil Murphey, Peggy Rupple, Dr. Bob Summers, Steve y Deb Woodworth. Mi agradecimiento a María Taft (ya fallecida) por su dulce amistad y aliento. Un agradecimiento especial a Sue Summers y Penny Carlavato por avivar los fuegos creativos y gracias a Verna Pauls por decirme hace años, "Diane, ¡debes escribir un libro!".

Gracias a la Oficina de Policía del Condado de Jefferson en Colorado por su compromiso con la excelencia y el servicio a la comunidad. Me enorgullece ser una "camisa verde". Gracias a mi compañero de mucho tiempo en la división de Crímenes Contra los Niños, el Detective Lee Hoag, ¡hicimos un gran equipo!

Mi humilde agradecimiento a Dios, que me llamó a esta profesión y me dio el privilegio de ser una extensión de su consuelo, y un instrumento de su justicia, en un mundo caído.

Gracias a toda mi maravillosa familia, especialmente a mamá, Denise, Peggy, Tom y Mike. ¡Reírse con ustedes es lo mejor! Hacen la vida más alegre y cada carga más ligera. Los quiero a todos muchísimo.

Póngase en Contacto con la Detective Diane

Sitio web: www.ProtectingInnocence.com
Facebook: Detective Diane
Programación de Firma de Libros
Protegiendo La Inocencia:
DetectiveDiane@gmail.com

Solicite que la Detective Diane le dé una charla a su organización:

- Organizaciones de padres
- Grupos de mujeres
- Educadores
- Trabajadores sociales
- Fuerzas policiales
- Organizaciones cívicas
- Organizaciones Espirituales

E-mail: DetectiveDiane@gmail.com para programar una presentación.

Dibujos Anatómicos

Las siguientes páginas contienen dibujos anatómicamente correctos de un niño y una niña. Los dibujos pueden ser útiles para enseñarle a su hijo los nombres apropiados de las partes privadas del cuerpo. Consulte el Capítulo 4 (*Los Nombres Apropiados para las Partes Íntimas*) para obtener ayuda sobre cómo puede tener lugar esta conversación. *Recuerde: estos dibujos no deben usarse para interrogar a un niño sobre sospechas de abuso sexual.*

Dibujo Anatómico Masculino

Dibujo Anatómico Masculino

Dibujo Anatómico Femenino

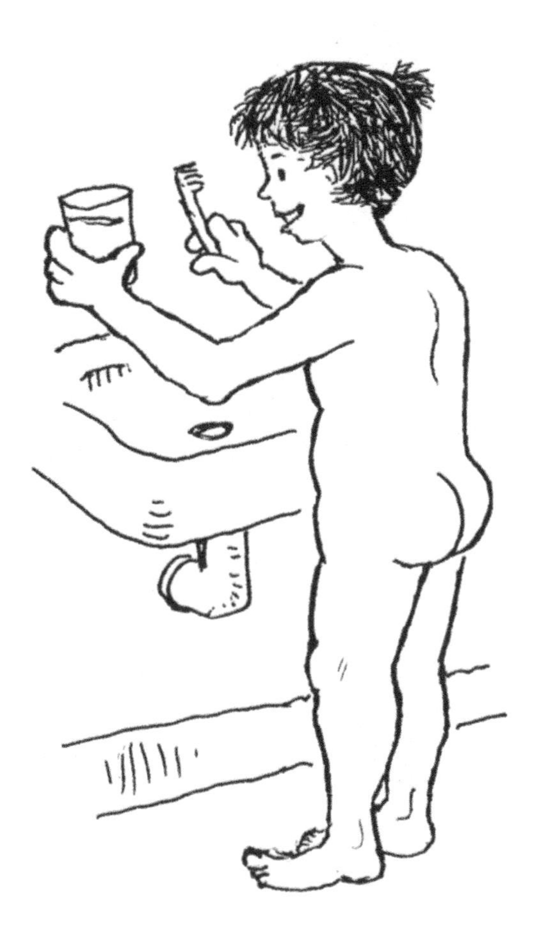

Dibujo Anatómico Femenino

Recursos para Padres y Cuidadores

National Children's Advocacy Center
(Centro Nacional de Defensa de los Niños)
256.533.0531
www.nationalcac.org

Prevent Child Abuse America
(Prevenir el Abuso Infantil América)
312.663.3520
www.preventchildabuse.org

Darkness to Light
(Oscuridad a la Luz)
866.FOR.LIGHT
www.d2l.org

National Center for Missing and Exploited Children
(Centro Nacional para Niños Desaparecidos y Explotados)
703.274.3900
www.missingkids.org

RECURSOS ESPIRITUALES
PARA SOBREVIVIENTES MASCULINOS DE ABUSOS SEXUALES INFANTILES
www.menshatteringthesilence.blogspot.com

When A Man You Love Was Abused
(Cuando el Hombre que Amabas Ha Sufrido Abuso)
Autor: Cecil Murphey Publicaciones Kregel

Acerca de La Autora

Diane Obbema ha trabajado durante 30 años en la Oficina de Policía del Condado de Jefferson, en Colorado. A lo largo de 12 años se especializó como detective en la investigación de crímenes contra niños en el Primer Distrito Judicial de Colorado.

La Teniente Diane fue la primera mujer nombrada como la Mejor Recluta en una Academia de Policías del Condado de Jefferson; trabajó varios años en auto patrulla antes de ser seleccionada como pionera del programa DARE en las Escuelas del Condado de Jefferson en 1990.

Después de regresar a patrullar en las calles, fue promovida a Detective en 1998 y asignada a la Unidad de Crímenes contra Niños.

A lo largo de dos años, la Detective Diane investigó cientos de casos de abuso infantil que resultaron en condenas de los abusadores. Ella se ha desempeñado como Técnica de Escena del Crimen, Instructora de Capacitación de Campo y como Instructora Certificada P.O.S.T. de la Academia de Policía.

Por ser una oradora experta y presentadora, la Detective Diane ha instruido a estudiantes universitarios, profesionales del bienestar infantil y policías en todo Colorado en temas como: La Mente de un Abusador de Menores, Entrevista Forense Infantil y Entrevista e Interrogatorio de Abusadores de Niños.

La Detective Diane fue honrada como la Empleada del Año 2006 por su excelencia al dirigir el Registro de Delincuentes Sexuales de su departamento. Las habilidades de interrogación de la Detective Diane se usaron para obtener confesiones de sospechosos en el primer programa multi jurisdiccional de la nación, Internet Predator Sting, el cual ha servido para que los agentes de la ley atrapen a criminales por Internet. Su testimonio ante el Senado y la Cámara de Representantes de Colorado ha resultado en una legislación más drástica contra los delincuentes sexuales.

La Detective Diane obtuvo un amplio reconocimiento por su notable trabajo en varios crímenes de alto perfil. Fue una investigadora clave de los tiroteos en la Escuela Secundaria Columbine, obteniendo elogios por su trabajo para determinar los sucesos exactos en la biblioteca de la escuela, donde 10 niños fueron asesinados y muchos otros resultaron gravemente heridos y traumatizados.

Tuvo un papel principal en el caso "Rebirthing", de Evergreen, donde un niño fue asesinado por sus terapeutas que utilizaron una supuesta terapia conocida como Rebirthing Breathwork. Este caso recibió cobertura nacional e internacional y provocó una nueva legislación que protege a los niños del uso de restricciones físicas en cualquier técnica "terapéutica" similar.

La Detective Diane ha recibido tres veces distinciones de la Oficina del Fiscal del Distrito del Condado de Jefferson por sus investigaciones de casos de abuso infantil. Recibió el *Hero's Award* (Galardón al Heroísmo) otorgado por *Jefferson County Children's Advocacy Center* (Centro de Defensa de Niños del Condado de Jefferson). La detective Diane fue presidenta y miembro durante diez años del Jefferson County Child Protection Team (Equipo de Protección Infantil del Condado de Jefferson).

La Detective Diane recibió el Professional Conduct Award (Premio de Conducta Profesional) de su agencia, Sheriff's Commendation (Mención del Alguacil), Life Saving Award (Premio por Salvar Vidas), y la prestigiosa Sheriff's Distinguished Service Medal (Medalla de Honor al Mérito otorgada por el Alguacil).

A lo largo de su carrera, ha recibido cartas de recomendación de escuelas, organizaciones cívicas, ciudadanos y otras agencias policiales. La detective se ha presentado como Investigadora Asociada voluntaria de Misiones de Justicia Internacional, una agencia de derechos humanos que interviene en nombre de niños víctimas de la industria del tráfico sexual.

La Detective Diane se convirtió en reclutadora e investigadora de antecedentes para la División de Estándares Profesionales de su agencia en 2009, y al mismo tiempo continuaba instruyendo en academias de policías sobre las leyes contra los crímenes infantiles. Se retiró en 2015 y vive en California, donde da charlas sobre la prevención del abuso infantil.

www.ProtectingInnocence.com